못

우리 삶을 나누는 여섯 단어   조기현 지음

이매진의
시선
時 線
18

몫

우리 삶을 나누는 여섯 단어

초판 1쇄 2023년 6월 9일
지은이 조기현
펴낸이 정철수
펴낸곳 이매진
출판등록 2003년 5월 14일 제313-2003-0183호
전화 02-3141-1917
팩스 02-3141-0917
메일 imaginepub@naver.com
블로그 blog.naver.com/imaginepub
인스타그램 @imagine_publish
ISBN 979-11-5531-141-7 (03800)

차례

프롤로그

세상에 믿을 구석 찾는 일

이 책은 칼럼집이다. 2020년 7월부터 2023년 4월까지, 거의 3년 동안 《한겨레》에 한 달에 한 번씩 쓴 칼럼을 모았고, 따로 쓴 글 한 편을 더했다. 한 달 동안 살다가 마음에 오래 머무는 기억이나 풍경, 사건을 소재로 삼았다. 대부분 삶이 위태로워지는 순간이었다. 그 순간들을 부여잡고 글로 쓴 데에는 어떤 믿음의 힘이 컸다. 내가 겪는 위태로움은 오직 나만이 겪는 일이 아니라고, 당신이 겪는 위태로움 또한 오직 당신만이 겪는 일은 아니라고, 그러니 혼자서 견디지 않을 방법을 함께 찾아봐야 한다고. 그런 막연한 믿음에 기대어 나는 계속 글을 쓴다.

그렇다고 내가 세상을 철석같이 믿지는 않는다. 마음속에는 늘 세상을 향한 의심과 화가 솟는다. 당하기만 하고 산다는 서러움이 차오를 때도 있다. 인간을 향한 신뢰가 뚝뚝 떨어지는 듯해 세상하고 단절하고 싶은 순간도 찾아오고, 내가 '쓸모'가 없어지면 세상에서 버려질 모른다는 불안도 마음 한편에 자리한다. 결국 세상은 혼자 알아서 살아남아야 하는 곳이라고 느끼기도 한다. 아이러니하게도, 그래서 더 글을 쓰게 된다.

나에게 글쓰기란 세상에 믿을 만한 구석을 찾아보는 일이다. 우리의 고통이 연결돼 있으리라는 막연함으로 첫

문장을 쓰고, 우리가 잘 의존하며 살아가야 한다는 믿음으로 마지막 문장의 마침표를 찍는다. 아마 그 믿음은 하루하루 그렇게 살아가겠노라는 다짐일지도 모른다. 그래서 글은 내가 지금 누군가의 곁에서 할 수 있는 일을 찾은 기록이자 우리가 함께 해낼 수 있을지 모를 일에 관한 제안서가 되기도 한다.

—

삶이 위태로워지는 순간은 결국 '몫'을 빼앗기는 순간이다. 어떻게 하면 우리가 누군가의 몫을 빼앗지 않고 몫을 나눌 수 있을까 하는 고민이 책 전체를 아우른다. 몫은 한 사람에게 주어지는 구실이기도 하고, 나눠 가질 수 있는 지분이기도 하다. 현금과 현물 같은 물질적인 요소이기도 하지만, 동시에 사회적 관계나 생애 전망, 사회적 인정 같은 비물질적인 요소도 포함한다.

몫을 구성하는 이런 요소들을 한 글자짜리 여섯 단어로 추렸다. 곳, 꿈, 끈, 돈, 때, 일. 이 여섯 단어는 우리 삶을 계급적으로 나누는 말이기도 하지만, 우리의 삶이 위태롭지 않기 위해 나눠 가져야 하는 몫이기도 하다. 우리 삶을 '나누는' 여섯 단어인 셈이다. 여섯 단어를 각 부 제목으로 삼고 사전식 설명도 더했다. 한 글자와 사전식 설명이 추상적이더라도, 그 덕에 몫에 관해 더 많이 개입해서 상상할 수 있는 여지가 되기를 바랐다.

—

궁극적으로 나는 한국 사회에서 몫을 나누는 기준으로 작동하는 '자격'에 관해 질문한다. 우리는 시험을 통해 '능력'을 증명한 이들이 더 많은 몫을 가져가는 방식을 당연하게 여기며, '건강'하고 생산력 있는 이들이 표준이 되는 사회에 산다. 아프지 않고 의존하지 않으며 능력을 갖춘 이들만이 살아남는 세상이 돼가고 있다.

그렇지만 아프지 않을 사람은 없고, 의존하지 않는 삶도 불가능하다. 능력 또한 의존하는 자원 없이 온전히 한 개인의 노력만으로 발휘될 수는 없다. 그런데도 능력과 건강이 더 많은 몫을 가져가는 자격이 되고, 더 많은 몫을 가진 이들이 능력과 건강을 획득하는 악순환이 벌어진다. 우리 생애에 당연한 아픔과 의존이 무시될수록, 우리 삶의 기반은 취약해진다. 몫을 나누는 새로운 기준이 필요하다. 먼저 내 삶을 가능하게 한 몫들을 곱씹어보자. 내 삶을 가능하게 한 몫들이 다른 누군가의 삶도 가능하게 할 것이므로.

마지막으로 몫에 관해 글 쓰는 삶을 가능하게 한 인연들을 떠올린다. 정기적으로 지면을 내어준 한겨레신문사, 기꺼이 글 속에 등장하며 각자의 존재에 서로 고마움을 전한 이웃들, 글 밖에서 함께 고민해주고 첫 독자가 돼준 사랑하는 애인, 칼럼을 읽고 인간을 향한 신뢰를 회복한다고 말해준 어느 독자, 셋째 책까지 함께하며 우정을 더해가는 이매진 출판사에 의존해서 또 한 권의 책을 냈다. 깊은 감사를 전한다.

1부

곳

; 공간적인 또는 추상적인 일정한 자리나 지역

봉천동과 짜장면

나고 자란 동네를 찾아갔다. 거의 15년만이다. 무슨 고
향 떠나 상경한 사람처럼 들리겠지만, 중학교 때 바로 옆
자치구로 이사 갔다. 구태여 찾지 않다가, 봉준호 감독이
1994년에 찍은 첫 단편 영화 〈백색인〉을 보고 발길을 옮겼
다. 〈기생충〉이 여기저기서 큰 상을 타니 한 방송사가 '봉
준호 월드'의 시작을 알린 〈백색인〉을 틀어줬다.

영화는 화이트칼라 남성의 무탈한 일상과 손가락 잘
린 블루칼라 남성의 삶을 유비한다. 계급적 유비를 시각
적으로 드러내는 공간을 촬영지로 삼았는데, 그곳이 바로
서울특별시 관악구 봉천3동이다. 숭실대입구역에서 봉천
고개로 올라가면 언덕배기에 아파트가 솟아 있고, 고개를

넘어 내려가면 왼편에 주택이 즐비하다. 지금은 아파트가 사방을 둘러치고 있지만, 영화 속 그곳은 아파트와 달동네가 선명하게 갈라져 공존하는 장소다.

나는 아파트 아래 주택가에서 나고 자랐다. 내가 알던 골목길이 영화에 나올 때마다 흥미와 반가움을 넘어 어서 가야 한다는 의무감마저 들었다. 영화가 나를 그곳으로 이끌었다. 이제는 봉천동이라는 낡은 이름을 '청림동'이라는 새 이름으로 갈아 끼웠지만.

날을 잡아 동네 곳곳을 쏘다녔다. 골목길 사이사이에 숨은 기억을 찾았다. 재개발 찬성과 반대를 주장하는 전단을 두툼하게 두른 전봇대가 눈에 띄었다. 오랜만에 찾은 봉천동에서 나는 절대 하나가 될 수 없을 듯한 갈등과 모든 사람을 하나가 되게 할지 모를 추억 사이를 오갔다. 이런 긴장과 이완을 오가는 감각도 얼마 지나지 않아 철 지난 향수가 될 터였다. 골목길을 걷는 내내 곧 허물어질 그곳의 운명과 공간에 얽힌 추억의 허약함과 세입자 처지인 사람들의 행방을 고민하다가 자주 길을 잃었다.

그러다 한곳에 멈춰 섰다. 늘 시켜 먹은 중국집이 있던 자리다. 지금은 주거용으로 개조한 듯했다. 열세 살 무렵 부모님은 이혼을 했고, 집에는 나하고 아버지만 남았다.

방학 때면 아버지는 내 손에 만 원짜리 한 장을 쥐여주고 일을 나갔다. 나는 그 중국집에 전화를 걸어 짜장면 한 그 릇을 시켜 먹었다.

그러던 어느 날 동네 사람들이 하는 말을 듣다가 그 중국집은 한 그릇을 절대 배달하지 않는다는 사실을 알 았다. 아저씨 혼자 주문받고 요리하고 배달하는 곳이라서 그렇다고 했다. 나이가 들고서야 아저씨가 우리 집에 짜장 면 한 그릇을 배달한 이유를 알아챘다. 아저씨는 짜장면 한 그릇을 건네면서 집에 혼자 있는 어린 '나'에게 안부를 묻고는 했다. 짜장면 한 그릇이어도 혼자 있는 아이가 시 킬 때는 꼭 간다는 철칙이라도 세운 걸까 궁금해졌다.

나는 갑자기 기억에 틈입한 중국집 이야기를 여전히 그곳에 살고 있는 친구에게 들려줬다. 그래서 그 중국집 이 새로 생긴 아파트 상가에 입주한 사실을 알게 됐다. 곧 바로 달려갔지만 중국집 아저씨를 만나지는 못했다. 그래 도 꼭 찾고 싶지만 찾을 수 없으리라 체념한 뭔가를 되찾 은 기분이었다. 안도감이 들었다.

〈백색인〉에 나온 봉천동처럼 가난과 부가 각자의 모습 을 드러내며 공존하는 풍경도 분에 넘치는 시대가 됐다. 가난은 더 꽁꽁 숨겨지거나 아예 외부로 추방되기 때문이다. 지금 나는 옛날 봉천동을 그리움에 젖어 떠올릴 만큼 무탈한 삶을 살고 있지는 않다. 수입이든 주거든 여전히 불안정할 따름이다. 어쩌면 나를 이곳으로 이끈 동력은 서로 마주하지 못하는 비대면 시대의 불안일지도 모르겠다. 추억의 관대함은 때때로 현실의 불안을 은폐시키기도 한다. 불안을 응시하면서도 추억을 마주할 수는 없을까? 수지타산이 맞지 않아도 공존을 위해 짜장면 한 그릇을 배달하는 사람이 돼야겠다고, 나는 봉천3동의 마지막 골목을 빠져나오면서 되뇌었다.

2021. 03. 01.

'가족 보호자'라는 자리

전화가 걸려온다. 누군가 쓰러진 사실을 알리는 연락이
다. 병원에 도착하자마자 환자 상태를 듣고 중대한 결정
을 내리거나, 입원 수속 등 필요한 행정 업무를 처리한다.
환자가 중환자실에 있으면 위독하다는 연락을 다시 받을
까 전전긍긍하고, 일반 병실에 있을 때는 직접 간병을 하
거나 간병인을 구해야 한다. 무엇보다 돈을 마련해야 한
다. 수중에 돈이 있으면 좋겠지만, 당장 없을 때는 여기저
기 전화를 돌려야 한다. 복지 정보를 찾아보고 구청과 주
민센터를 들락거린다. 그마저도 안 되면 대출을 알아보거
나 당장 할 수 있는 일을 찾아본다. 그렇게 '가족 보호자'
가 된다.

어느 날 갑자기 헤어진 가족의 보호자로 불려가는 이도 있고, 아무런 경제력도 없이 보호자가 돼 급하게 병원비를 마련해야 하는 이도 있다. 아픈 이에게 신경을 쓰면서도, 돈 빌리느라 주변에 아쉬운 소리를 늘어놓다 보면 마음은 금세 무너져 내린다. 가족 보호자 구실을 한 어떤 이는 쓰러진 가족뿐 아니라 자기도 '사고'를 당한 듯하다고 말했다.

11월 10일, 뇌출혈로 쓰러진 아버지를 굶겨 사망하게 한 강도영(가명) 씨 관련 2심 재판이 열렸다. 재판부는 존속 살해 혐의로 징역 4년을 선고한 원심 판결을 유지했다. 2심 판결문에 담긴 몇몇 문구는 '가족 보호자'의 자리를 곱씹어보게 한다. 판결문에 따르면 강도영은 '삼촌이 생계 지원과 장애 지원 등을 받으라며 관련 절차를 알려주었지만, 기본적으로 게으른 성격이라 주민센터 등을 방문하거나 지원받기 위한 노력을 한 적'이 없으며, 아버지가 입원해 있는 기간 동안 직접 '간병한 적이 없었는데 피해자가 퇴원하여 자신이 직접 피해자를 간병할 상황에 놓이게 되자마자 이 사건 범행을 계획'한 사람이다.

이제껏 우리는 가족 중 한 사람이 아프면 당연하게 '가족 보호자'가 있어야 한다고 여겼다. 선택의 여지도 없었고, 의심의 여지도 없었다. 강도영도 그랬다. '가족 보호자'라는 자리를 외면해 죄책감을 느끼기보다는 꾸역꾸역 해내려는 사람도 적지 않다. 그렇지만 우리는 '가족'이라는 이유로 혼자서 모든 일을 다 감당해야 할까?

강도영 사건은 책임을 떠맡은 '가족 보호자'와 신청할 때까지 개입하지 않는 '복지 신청주의' 사이의 공백이 만들어낸 비극이다. 판결문에는 그 공백을 적극적으로 메우지 않은 '가족 보호자'의 '게으름'이 죄가 돼 있다. 아버지가 퇴원하기 전 '가족 보호자'로서 홀로 짊어진 무게에 세상은 관심이 없다. '게으름'이 아니라 '가족 보호자'로 고군분투하다가 무너져 내린 마음을 조금이라도 헤아려봐야 한다.

사회와 국가는 가족 보호자에게 떠넘긴 책임을 다시 짊어져야 한다. 한 개인에게 위기가 닥친 그 순간부터 함께할 방법을 고민해야 한다. 그나마 '가족 보호자' 모델을 지탱하던 '4인 핵가족'은 오래전에 해체됐다. 가구 규모가 축소되고, 불안정한 일자리가 증가하고, 청년기 진로 이행은 늦춰진다. 이런 상황에서 '가족 보호자' 구실을 무리 없이 수행할 수 있는 이들이 얼마나 될까?

무엇보다 병원이 '가족 보호자'를 호출하는 방식에는

아무런 법적 근거가 없다. 의료법에 '보호자'가 자주 등장하지만, 보호자의 자격이나 범위를 다룬 규정은 없다. '가족 보호자'가 계속 유지된 이유는 '보호'가 '가족의 의무'라는 통념 때문이고, 위기와 복지 제도 사이의 공백을 내버려둔 사회와 국가 탓이다.

　강도영 사건은 환자의 자기 결정권을 침해한 사례로 바라볼 수도 있다. 보통 환자의 자기 결정권을 치료 의사에 국한해 생각하지만, 좀더 넓게 볼 여지가 있다. 환자 혼자서 치료해도 되는데 병원에서 가족 보호자를 요구하면 환자의 자기 결정권을 침해하게 된다는 견해도 제기된다. 더 나아가 '가족 보호자'가 모든 일을 떠맡는 상황을 환자가 원하지 않을 때도 자기 결정권 침해 사례로 볼 수도 있다. 아픈 이와 보호하는 이가 모두 안전할 수 있는 사회를 위해 '가족 보호자'의 자리를 다시 생각하자. 그곳이 사회와 국가가 새롭게 서야 할 출발선이다.

2021. 11. 15.

일할 자리와 돌볼 자리

"어떻게 그런 생각을 하셨어요?"

아픈 가족을 돌보거나 돌본 적 있는 이들을 만나 이야기를 하다 보면 꼭 한 번씩 이렇게 묻는다. 힘겨운 돌봄의 여정에서 길어 올린 자기만의 성찰과 언어를 마주할 수 있다. 인지 저하 때문에 이해할 수 없는 행동을 하는 할머니를 예전에 나눈 이야기를 단서로 이해하게 된 사연, 서로 존중할 수 있는 돌봄 관계를 유지하려 적정한 심리적 거리를 지키게 된 사연을 들을 때, 나는 눈이 휘둥그레져서 묻는다.

돌봄 상황에 대처할 방법을 아무도 가르쳐주지 않았고, 도움이 될 정보도 몰랐으며, 함께 협력할 사람도 없다던 이들이었다. 스스로 좌충우돌하며 몸으로 배운 이치였다. 돌이켜보면 나도 몸으로 겪은 일을 혼자 해석하느라 많은 시간을 쏟았다. 돌봄에 관한 대화를 자주 나누다 보면 돌봄 상황이 한 사람의 관계 역량을 최대치로 끌어올리는 계기라는 생각을 하게 된다. 다른 사람들이 그런 역량을 충분히 지니고 있다는 신뢰도 싹튼다. 돌봄 경험에서 길어 올린 자기만의 성찰과 언어를 공유하는 모습을 상상하기도 한다.

우리는 다양한 돌봄 위기를 겪는다. 간병 부담으로 쓰러지는 사람들 소식이 끊이지 않고 들려온다. 코로나19는 돌봄 공백을 메운 사람들의 노고를 통해 돌봄 없이 이 세상은 유지될 수 없다는 사실을 드러낸다. 더는 돌봄 때문에 고통받지 않도록 돌봄 서비스를 확대하고 강화해야 한다. 또한 우리는 돌봄이 '서비스' 이전에 '관계'이기도 하다는 점을 잊지 말아야 한다. 모든 돌봄을 서비스로 대체할 수는 없으며, 우리가 할 수 있고 해야 하는 돌봄도 있기 때문이다.

논의의 중심에는 '보편적 돌봄 제공자 모델'을 둬야 한다. 낸시 프레이저가 제안한 보편적 돌봄 제공자 모델은 여성만이 돌봄 책임을 지는 사회를 해체하자고 한다. 누구나 돌봄을 하면서 산다면, 모든 일자리는 돌봄자이자 노동자인 사람들을 위해 만들어지게 된다. 그런 사회에서는 돌봄이 일을 못하게 하는 걸림돌이 아닐 수 있고, 일하느라 돌봄을 못하게 되는 상황도 사라질 수 있다.

문제는 보편적 돌봄 제공자 모델로 그릴 수 있는 사회의 모습을 우리의 실제 삶으로 실현하는 데 있다. 세상은 이미 누구나 생계 부양자여야 한다는 전제 아래 구성돼 있기 때문이다. 그렇다면 우리는 모든 사람이 생계 부양을 잘할 수 있도록 돌봄을 서비스로 해결하사고 이야기해야 하는 걸까? 파블리나 체르네바가 쓴 《일자리 보징》을 읽으며 다른 이야기를 할 수 있는 길을 찾았다. 체르네바가 제안하는 '일자리 보장제'다.

일자리 보장제는 일할 의지가 있는 모든 시민에게 일자리를 보장하자는 구상이다. 기업과 시장만이 일자리를 창조한다는 믿음을 벗어나, 정부가 최종 고용자가 돼 실업을 완전히 없애자는 정책이다. 일자리 보장제는 돌봄 제공을 중심에 둔다는 점에서 '국가돌봄법'이기도 하다. 환경, 지역, 사람을 돌보는 일을 보장하게 될 테기 때문이다.

일자리 보장제에 보편적 돌봄 제공자 모델을 접목시키면 좋겠다. 일자리 보장제에 참여하는 사람이 자기에게 주어진 과업뿐 아니라 일상에서도 돌봄을 주고받는 사람이라는 전제로 일자리를 설계하면 된다. 노동자가 누군가를 잘 돌보면서 일할 수 있는 조건을 기업과 시장이 만들어줄 리 없다. 국가는 다르다. 의지만 갖추면 보편적 돌봄 제공자 모델을 기반으로 일자리를 보장할 수 있다. 잘 돌보고 잘 일할 수 있는 사회가 필요하다. 더 많은 이들이 각자 길어 올린 돌봄의 성찰과 돌봄의 언어를 나눌 수 있는 사회 말이다.

2021. 12. 13.

돌봄 도시

요즘 인천을 자주 드나든다. 인천에서 진행하는 한 자조 모임에 참여하러 간다. 나는 자조 모임에서 나오는 돌봄 경험을 기록한다. 모두 중고령층으로, 치매를 앓는 부모, 배우자, 자녀를 돌보고 있거나 돌본 적이 있는 이들이다.

대부분 치매 때문에 벌어지는 상황을 이해하지 못해서 혼자 끙끙 앓던 때가 있었다. 모임에 참여하면서 많이 달라졌다. 내가 느끼는 고통을 충분히 설명하지 못해도 어떤 고통인지 알아채는 듯한 분위기에서, 당장에 겪는 문제를 해결할 수 있는 요령을 배우는 대화에서, 앞으로 어떻게 살아갈지 힌트가 돼주는 각자의 돌봄 생애사에서, 어디에서도 얻을 수 없는 위안을 얻었다.

7년이나 이어온 지지대 같은 모임이었다. 그만큼 경험과 성찰이 쌓였고, 이제 더 많은 이들하고 이 경험을 나누려 한다. 노년에 접어든 한 남성 참여자는 아내에게 치매가 시작된 때 느낀 고통과 그 뒤에 겪은 어려움을 몇 쪽에 걸쳐 적어왔다. 초로기 치매 남편을 돌보는 한 중년 여성 참여자는 치매 당사자가 꿈꾸며 살 수 있게 하고 싶다는 다짐을 내비쳤다.

이런 마음들이 막 돌봄을 시작한 이들에게 힘이 될 수 있고, 치매를 숨기게 만드는 세상의 편견에도 균열을 낼수 있다. 대화를 나누다 보면 사적 영역으로 여겨지던 돌봄 경험이 공적 세계에 어떤 영향을 줄지 곱씹게 된다. 우리가 2주에 한 번 모여서 이야기하고 기록하는 가장 큰동기가 바로 이것이다.

인천을 자주 드나들다 보니 인천에서 돌봄과 복지에 관련해 새롭게 벌어지는 움직임들도 눈에 띈다. 먼저 지난 5월 4일 인천사회서비스원에서 진행한 한 포럼이 흥미를 돋웠다. 주제는 2020년 10월 발표된 '인천 복지기준선'이었다. 인천 복지기준선은 말 그대로 인천의 복지가 이 정도는 돼야 한다는 기준선이다. 소득, 건강, 주거, 교육, 돌봄 영역에 걸쳐 118개 과제를 제시한다.

부족한 점이 없지는 않다. 5개 서비스 영역이 다양한 권리를 담지 못한다는 비판도 나오고, 기성 복지 제도에 기준만 설정한 꼴이라는 지적도 받는다. 그래도 시민 참여로 만들어진 기준선이라는 점은 중요하다. 기준선을 만든 과정뿐 아니라 만든 뒤에도 시민평가단이 개입해 행정이 이행하는 정도를 '평가'한다.

지금까지 복지 행정과 시민의 관계는 일방적으로 심사받고 선별되는 관계나 마찬가지였다. 인천 복지기준선 시민평가단은 거꾸로 복지 행정을 지속적으로 평가할 수 있다. 시민들 삶에 큰 영향을 미치는 의사 결정에 시민이 직접 개입한다. 이런 관계 변화가 복지 행정의 결점을 어떻게 보완하고 어떤 권리들을 포괄할 수 있을지 기대된다.

'위기에 강한 인천, 외로움 없는 돌봄 혁명 시대.' 이번 지방 선거에서 정의당 인천시장 후보 이정미가 낸 출마선언문 문구다. 이정미는 대통령 선거 정의당 후보 경선 과정에서도 '돌봄 대통령'이 되겠다고 선언한 적이 있다. 주변부 신세이던 '돌봄'을 정치 중심부로 옮기려는 의지가 보인다. 또한 돌봄이 국가 책임일 뿐 아니라 지역 책임이라는 점을 강조한다. 복지 재정을 중앙 정부에서 지방 정부로 완전히 넘기고, 지자체별 통합돌봄본부를 만들겠다고 약속한다. 시민들이 서비스를 받으러 여기저기 헤매지 않도록 하려는 마음이다. 공동체를 돌보는 다양한 활동에 소득을 보장하자는 제안도 빼놓지 않는다.

돌봄은 '서비스'에 국한될 수 없다. 돌봄은 우리가 모두 취약할 수 있다는 전제로 세상을 보는 관점이다. 우리가 서로 의존하며 살아간다는 진실을 바탕으로 세상을 대하는 태도다. 시민도, 행정도, 정치도 돌봄으로 재구성될 수 있다. 인천이 흥미롭다. 돌봄 도시의 역동성이 느껴진다.

———————
2022. 05. 09.

구해줘, 침수 안 될, 홈즈

문을 열고 들어서는 집들마다 도배와 장판이 새로 돼 있었다. 싱크대나 화장실 문틀이 새것인 데도 보였다. 공인중개사하고 동네 곳곳 빈집을 둘러보며 안도의 한숨을 내쉬었다. 약속한 퇴거 날짜가 다가오는데 집을 구하지 못할까 봐 전전긍긍하는 중이었다. '아, 아직 서울에 내 보증금과 월세로 새 집처럼 수리한 데 살 수 있구나.'

둘러본 집들은 대부분 1층 같은 반지하이거나 반지하 같은 반지하이거나 지하 같은 반지하였다. 여러 가지 계속 물어도 귀찮은 티 하나 없이 성실하게 대답하는 공인중개사에게도 신뢰가 갔다. 이 집들 중에 하나로 정해야겠다고 생각을 굳힌 무렵, 말없이 집을 함께 둘러보던 동생이

팔꿈치로 툭툭 치더니 속삭이듯 말했다.

"침수된 집 같아."

아차 싶었다. 그럼 그렇지, 내가 갈 만한 곳이 이렇게 좋을 리가 없지. 여기는 지난번 폭우 때 가장 많은 시간당 강수량을 기록한 서울시 동작구. 반지하에 사는 주민들이 발을 동동 구르며 파출소로 대피했고, 침수된 집에 남은 가전제품들은 골목을 둥둥 떠다녔다. 그때 침수된 집들 근처를 둘러봤으니, 침수 안 된 집이라고 확신할 수도 없었다. 결국 소개받은 집 중에서 내부가 가장 낡은 곳을 계약했다. 집 안에 새것 하나 보이지 않지만 언덕배기라 침수 걱정은 없어 보였다.

계약한 집을 다시 살펴보는데 동생이 피식하면서 창틀을 가리켰다. 나무 창틀을 평생 벗어나지 못하는 운명 아니냐는 농담에 나는 햇볕 잘 들어오는 창문이 어디냐고 맞받아쳤다. 그렇게 웃는데 나무 창틀에서 새시 창틀로 바뀌는 변화가 무슨 계층 상승이라도 되는 양 느껴졌다. 방범과 단열이 조금 더 확보되니 생활은 나아질 수밖에 없다. 다음에 이사 가는 집은 창틀이 새시이면 좋겠다는 생각은 들었다.

지난 몇 달 동안 사람들이 다 떠난 재개발 지역에서 지

냈다. 집주인이 마지막까지 남아서 나도 세입자로 계속 살 수 있었다. 9년 전에는 아버지하고 강아지랑 함께 왔다.

이제 아버지는 요양 병원에서 지내고 이 집에는 나하고 강아지만 남았다. 2인 가구에서 1인 가구로 바뀌는 동안 돌봄 위기를 숱하게 겪었다. 집에서 벌어진 위기 순간을 가장 가까운 곳에서 목격한 사람은 집주인이었다.

집주인은 그런 나를 위해 몇 년 동안 월세를 올리지 않고 있다고, 수도 요금도 늘 2000원씩 깎아준다고 강조했다. 젊은 사람이 아버지 돌보면서 고생하며 사니까 그런다고 했다. 반지하, 고시원, 옥탑방에 안 사는 지금을 고마워하라는 말도 빼놓지 않았다. 돌이켜 보면 그런 태도에 나는 늘 모멸감을 느끼며 어쩔 줄 몰랐다. 가난한 사람이 으레 가져야 할 마음가짐을 강제하는 느낌이었다. 그 집에 머무는 시간도, 다시 머물 집을 찾아다니는 시간도 끊임없이 계급을 떠올리게 했다.

나는 침수 안 될 집을 구하고 자비로운 집주인하고도 작별했지만, 그렇다고 다행스럽지는 않다. 여전히 침수 위험이 있는 집에 사는 이들을 생각한다. 나쁜 집에 사는 이들이 견디고 있을지 모를 모멸의 무게를 떠올린다. 지금 집보다 더 아래로 내려갈지 모른다는 불안을 곱씹는다.

정부는 2023년 공공 임대 주택 예산을 5조 6000억 원 넘게 깎았다. 주거가 취약한 이들의 주거를 보장하지 않겠다는 선언이나 다름없는, 역대 최대 삭감이다. 세입자들의 마음은 더 무거워지고 더 깊이 가라앉을 수밖에 없다. '격차에 신경 써라'(Mind the Gap). 매년 10월 첫째 주 월요일은 유엔이 지정한 세계 주거의 날이다. 세계 주거의 날 슬로건인 이 문구는 점점 벌어지는 불평등에 보내는 경고다. 틈새를 신경 쓰기는커녕 더 벌리려는 정부가 새겨야 할 말이다.

2022. 10. 03.

마음에 새살이 돋는다

어느 날 갑자기 연락 끊긴 친구가 연락을 해왔다. 돈 빌려
달라거나 결혼한다는 소식은 아니었다. 그동안 마음에 여
유가 없었다고, 이제 취업해서 조금 여유가 생긴 모양이라
했다. 갑자기 끊어버린 관계의 무게를 내내 품었을까. 연
락 끊긴 이유를 묻기도 전에 먼저 말해줘서 고마웠다. 기
꺼운 마음에 만날 약속부터 잡았다.

　친구는 경기도에 자리한 어느 공공 주택에서 혼자 살
고 있었다. 서울에서 그곳으로 가는 동안 친구를 처음 만
난 때를 되짚었다. '배민' 같은 배달 애플리케이션이 나오
기 전 동네마다 식당별 메뉴와 번호를 홍보하는 책자가
있었는데, 우리는 그런 홍보 전단을 뿌리는 아르바이트를

했다. 13년 전이다.

봉고차 한 대에 열 명이 구겨져 탔다. 차가 주택가에 멈추면 각자 퍼져서 책자를 뿌린 뒤 다시 모여 차에 타고 다른 곳으로 이동했다. 첫날이라 속도를 따라잡지 못했다. 책자를 든 채 건물 입구를 파악하고 계단을 오르내리는 단순한 일도 숙련이지 싶었다. 그때 한 사람이 나를 따라와 귓속말을 했다.

"적당히 붙이고 어디 신발장 뒤나 사장님이 못 찾을 데다 묶어서 버려요. 다들 그래요."

덕분에 노하우와 룰을 터득했다. 금세 나도 사람들하고 같은 속도로 퍼지고 모일 수 있었다. 구겨져서 봉고차를 타고 이동할 때마다 운전하는 '사장님'은 매번 아저씨들을 의심했다. 사장님이 어디 버리고 오지 않느냐 의심하면 아저씨들은 넉살 좋게 되받아쳤다. 나도 모르게 피식하고 웃음이 새어 나왔다. 그 친구도 옆에서 웃고 있었다. 나는 아웅다웅하는 모습이 꼭 장진이 쓴 희곡이나 영화에 나올 장면 같다고 말했다. 그 친구는 연극과 영화를 지독하게 사랑하는 중이었다. 그렇게 우리는 친구가 됐다.

우리는 공장은 다르지만 같은 시기에 산업기능요원이었고, 예술을 하고 싶어서 직장을 관둘 때도 같은 인력 사

무소에 '노가다'를 다녔다. 친구는 배우로 무대에 서고 싶었지만, 기회가 마땅치 않았다. 우리끼리 해보자며 작은 공연도 두 번 올렸지만, 내가 공연 작업을 하지 않게 되면서 흐지부지됐다. 친구는 일을 구해도 적응하지 못하고 자주 관뒀다. 그때쯤부터 은둔 생활이 시작된 듯했다.

오랜만에 본 친구 얼굴에서는 피로감이 묻어나던 쓴웃음이 사라져 있었다. 자활 일자리를 신청해 주민센터에서 사회복지 공무원 업무를 지원한다고 했다. 기초생활 수급자나 차상위 계층 시민을 만나 복지 정보를 설명하고 서류 준비를 돕는 일이었다.

난방비 문제처럼 복지 문제가 터지면 한두 주 정도 매일 100여 명이 주민센터를 찾는다. 아무리 업무 강도가 낮은 자활 일자리여도 사람 상대하는 일은 어렵다. 더군다나 삶이 위기에 몰린 평범한 시민들은 행정 앞에서 얼마나 날카로울까. 당장 나부터 그랬다. 친구는 이 일이 잘 맞는다고 했다. 처음부터 그렇지는 않았다. 출근 첫날 주민센터 입구에 앉아 상담에 투입됐다. 사람들이 던지는 말은 날카롭기 그지없었다. 말은 마음을 할퀴고 지나갔고, 이번에도 적응하지 못할 듯했다.

마음이 바뀐 계기는 늦잠이었다. 몇 주 동안 잘 나가

다가 늦잠을 자버렸다. 일하지 않던 시절에 몸에 밴 습관이 스멀스멀 올라왔다. 포기하듯 잠에 빠져들었다. 11시쯤 됐을까. 주민센터 공무원들이 집에 들이닥쳤다. 혹시나 고독사는 아닐까 걱정돼 왔다고 했다.

"그 말에 희미해지던 삶이 또렷해졌다니까. 주민센터에서 막 화를 내는 사람들이랑 내가 같은 처지라는 생각이 들더라고."

다음날부터 복지 종류와 신청 기준을 외우기 시작했다. 이제는 쉬운 말로 복지 상담을 잘할 수 있다는 자신감이 들었다. 생애 첫 연애도 시작했다. 새살 돋는 듯한 친구의 삶에 덩달아 내 마음에도 새살이 돋는다. 삶의 의지를 더해준 관심과 관계들이 우리를 다시 만나게 했다. 모든 것은 연결돼 있다는, 그저 그런 말이 새삼스레 경이롭다.

2023. 02. 27.

2부

꿈

; 실현하고 싶은 희망이나 이상

산업기능요원이라는 풍경 뒤

나는 산업기능요원이었다. 산업기능요원은 산업 현장에서 군 복무를 대체하는 제도다. 소집 해제 된 지 6년이 지났다. 여전히 그 시간은 마구 뒤섞여 있는 서류 뭉치 같다. 어디부터 어떻게 손대야 할지 모르는 분노와 수치심, 억울함과 부끄러움이 켜켜이 쌓여 있다. 공장에서 나는 군인도 아니고 노동자도 아닌, 예외적 존재였다. 군대 대신 사회에 남아 돈을 버니까 혜택을 받는다는 소리를 맨날 들었다. 그런 말은 장시간 고강도 저임금 노동을 해도 정당하다는 기제로 작동했다.

공장에서 보고 겪은 착취나 폭력이 나를 괴롭혔다. 내가 피해자이면서 방관자이고 가해자일지 모른다는 생각

에 더욱 움츠러들었다. 그렇다고 고통만 있지는 않았다. 내가 일머리를 잘 굴려서 문제를 해결할 때 누리는 성취감, 이주 노동자들하고 나눈 유대감, 하루 목표량을 달성한 보람이 피곤한 일과를 버티는 힘이 되기도 했다. 그런데도 산업기능요원이라는 말만 떠오르면 억하심정부터 든다. 그 시간을 있는 그대로 들여다볼 자신이 없었다.

그런 고민이 책 한 권을 쥐게 했다. 허태준이 쓴 《교복 위에 작업복을 입었다》다. 태준은 부산에 있는 공업고등학교를 나와 현장 실습생과 산업기능요원이라는 신분으로 3년 7개월을 보냈다. 그 시간을 오롯이 책에 담았다.

"누군가 산업기능요원 시절에 대해 물어보면, 나 또한 '나쁘지 않았다'라고 대답했을 것이다. 회사에서 하던 업무도 마음에 들었고, 사회에 남아있었기 때문에 할 수 있는 일도 많았다. 심각한 사건·사고가 있었던 것도 아니고, 누군가 크게 다치거나 피해를 본 적도 없었다. 하지만 정말 아무 일도 없었냐고 묻는다면, 그것 또한 진실은 아니었다. 설명하기 복잡해 넘겨버린 사연들이 지나간 시간 사이사이 어두운 낯빛으로 남아 있었다."

선배들이 쏟아내는 출처도 불분명한 폭언을 맞닥뜨리기도 했고, 퇴사나 이직이 쉽지 않은 산업기능요원이라는

이유로 장기간 노동에 시달리는 친구도 있었다. 산업기능요원 실태 조사를 하러 나온 병무청 직원이 폭력 유무를 묻자 산업기능요원들이 침묵하는 모습을 애써 무시하는 상황이 벌어지기도 했다. 담담하게 써 내려간 사례들 사이사이에 지난날 내가 어른거렸다.

이야기는 현장 실습생과 산업기능요원의 실태를 보고하느라 직진하지 않는다. 오히려 두리번거리면서 무엇도 놓치지 않으려는 태도를 보인다. 그 속에는 일을 습득할 때 누구나 겪을 법한 마음이 담겨 있다. 일을 마치고 뒷정리를 제대로 하지 않는 이주 노동자 때문에 갈등이 벌어지는 상황에서도 상대방 자리에 서보려 노력한다. 낯선 나라에 와 나쁜 노동 조건에서 일하는 사례가 많기 때문에 익숙하지 않은 일을 당연히 의심하게 될지 모른다는 헤아림에 다다른다.

공장에서 진심 어린 사과를 나누는 대목에서는 부러운 마음이 들었다. 산업 현장에서는 늘 험한 말과 행동이 오갔지만, 상처를 낫게 할 진심 어린 사과는 드물었다. 돌아서서 컨베이어 벨트 앞에서 노동하면 그만이니까, 애초에 감정은 쓸데없는 곳이니까. 태준은 후배에게 화를 낸 일을 반성하며 사과하고, 자기에게 부당한 부탁을 한 선배에게서 울음 섞인 사과를 받기도 한다. 나는 공장이나 건설 현장에서 진심 어린 사과를 주고받은 적이 있나 다시 되짚어본다. 상처는 수도 없이 받았는데, 사과를 나눈 적은 단 한 번뿐이었다.

풍경이 우리에게 기만적일 수 있다고 존 버거는 말한다. 그 속에서 벌어지는 '사람들의 투쟁, 성취, 그리고 사건들'을 가리는 커튼이 될지도 모르기 때문이다. 현장 실습생과 산업기능요원이라는 커튼 뒤에는 감춰진 삶의 결이 놓여 있다. 나도 이제 산업기능요원이라는 커튼을 걷고 그 뒤에 보이지 않던 투쟁과 성취, 사건을 찬찬히 매만져볼 참이다.

2021. 02. 01.

반려하는 삶

지난해 여름이었다. 초서녁, 반려견 공자를 데리고 골목길을 산책하고 있었다. 공자는 전봇대를 에워싼 쓰레기 더미 앞에 멈춰 섰다. 종이 박스에 다가가 한참 냄새를 맡더니 짖기 시작했다. 박스가 요동쳤다. 딱지처럼 접힌 종이 박스 틈으로 뭐가 쏙 튀어나왔다. 이제 막 새끼 티를 벗은 하얀 진돗개였다. 유기된 듯했다.

골목길을 오가던 사람들 대여섯이 금세 모였다. 모두 입을 모아 개를 버린 사람을 욕했다. 전봇대 옆 편의점 사장님은 동물에게 몹쓸 짓 하면 큰 벌 받아야 한다고 소리쳤다. 누구는 신고 방법을 찾고, 누구는 주변 시시티브이를 뒤지자고 말했다. 아무 말 없이 쭈뼛거리던 중년 남자가 갑자기 종이 박스를 들어 올리며 속삭였다.

"고향에서 줬는데......예쁜 애인데......왜 아무도 안 가져가나."

강아지는 중년 남자 품으로 돌아갔지만, 또 유기되지 않고 잘살 수 있을지는 알 도리가 없었다. 종이 박스를 안고 집으로 가는 남자의 뒷모습은 고민에 짓눌린 듯 보였다. 뉴스에서 본 유기하는 사람을 실제로 보니 왜 유기를 하는지 고민하지 않을 수 없었다. 반려견을 키우고 싶어서 집에 데려왔지만, 막상 키우기 힘든 현실을 마주하고 어찌할 바를 몰랐을까? 중년 남자의 뒷모습에 몇 년 전 내가 어른거렸다.

한때 나도 공자를 포기할까 고민했다. 아버지에게 벌어진 사고를 처리하느라 몸도, 마음도, 돈도 남아나지 않은 때였다. 아버지가 요양 병원에 들어가자, 늘 아버지 곁에 있던 공자가 내 옆에 남았다. 심란했다. 당장에 일을 나갈 때마다 집에서 짖는 통에 집주인은 집을 빼든지 강아지를 없애든지 선택하라고 엄포를 놓았다. 이사를 가려하면 반려동물은 절대 안 된다는 집이 대부분이었다. 병원비도 만만치 않았다. 한 번 진료할 때 몇 만 원, 수술 한 번 받으면 백만 원 웃도는 돈이 들어갔다.

무엇보다 공자 혼자 있는 시간이 너무 길었다. 공자의 상태나 마음을 잘 살필 자신이 없었고, 장기간 집을 비우지 못하거나 이사 갈 집을 찾지 못하는 등 내 삶의 선택지가 제한되는 듯했다. 유기를 생각한 적은 없다. 공자가 나보다 더 나은 보호자를 만나면 공자도 나도 좋지 않을까 고민은 했다. 현실에서는 이 정도 고민도 제대로 하지 않는 사람이 적지 않은 듯하다. 유실되거나 유기되는 반려동물이 점점 늘어난다. 여름마다 반려동물 유기 범죄가 두드러진다. 집에 돌아오지 못하게 먼 곳에 버리기도 하고, 동물 위탁 관리 업체에 맡긴 뒤 찾아가지 않기도 한다. 2020년에 유실되거나 유기돼서 구조된 동물의 수는 13만 401마리다. 전해보다는 조금 줄었지만 계속 늘어나고 있다. 동물 등록제, 중성화 의무화, 무분별한 번식 금지, 반려인 교육 강화 등이 해결책으로 제시된다.

나는 '반려하는 삶'을 고민한다. 진학, 취업, 이사, 결혼, 출산처럼 보호자가 삶에서 겪는 변화가 반려동물 유기에 영향을 미친다는 분석도 있다. 자기 삶에서 일어나는 변화와 돌봄이 대립할 때 유기가 일어나기 쉽다는 말이다. 반려동물을 키우는 인구가 1500만 명에 접어들었다. 더 적극적으로 반려동물하고 함께하는 삶을 이야기해야 할 때다. 국가가 반려동물 병원비를 부담하는 반려동물 진료 보험 법안이 마련된다는 소식도 들린다.

반려동물에 친화적인 환경을 고민하는 수준을 넘어 모든 생명들하고 반려할 수 있는 환경을 고민해야 할 때다. 삶과 돌봄이 때때로 대립한다는 점은 반려동물뿐 아니라 사람을 돌볼 때도 마찬가지이기 때문이다. 우리 삶이 놓인 환경 자체가 다른 존재들하고 더불어 살기 쉽지 않기 때문이기도 하다. 반려하는 삶에는 어떤 주거가 필요한지, 이동 수단은 무엇을 지원해야 하는지, 노동 시간은 어느 정도가 적당한지 등을 이야기해야 한다. 그래야 우리는 나 아닌 다른 존재에게 품을 내어줄 수 있는 반려인이 될 수 있다.

2021. 08. 16.

연애와 가족 돌봄 사이

"연인한테 아버지가 치매라고 어떻게 얘기했어요?"

간혹, 그러나 끊이지 않고 받는 질문이다. 나는 숨길 겨를이 없어서 자연스럽게 알리게 되더라고 간단하게 답한다. 건조한 사실만 말하고 나면 마음이 꺼름칙하다. 질문하는 사람이 듣고 싶은 말은 아픈 가족이 있다는 사실을 연인에게 '어떻게' 말해야 하는지일 테니까 말이다. 나는 그 '어떻게'를 제대로 고민하지 못했다.

연인에게 말하기는 청년기에 아픈 가족을 돌본 이들에게는 큰 고민거리다. 청년기에 아픈 가족을 돌본 경험을 나눌 때 연애를 주제로 삼으면 쏙 빼닮은 일화들이 줄을 잇는다. 연애 초기에 데이트할 때 아픈 할머니에게 일

이 터져서 급히 헤어지면서도 이유를 제대로 말하지 못하고, 부모님이 아프다는 사실을 연인에게 알리더라도 보여주지는 않으려 애쓰고, 상견례 자리에 조현병 있는 어머니를 데려갈지 말지 고민한 이야기 말이다. 지금까지 '가족 형편'으로 여기고 혼자서 짊어진 상황들이었다. 아픈 가족이 있다는 사실도 말하기 쉽지 않은데, 자기가 돌봄을 한다는 사실까지 알리려면 부담이 이만저만이 아니다.

가족의 아픔과 돌봄이 마치 우리를 연인이나 결혼 상대로 가치 없게 만들 듯하고, 연인이나 연인의 부모에게 이해받지 못할까 봐 두려운 마음도 크다. 너무나 사적이라고 여기던 경험을 서로 맞대니, 이행기에 가족을 돌본다면 누구나 할 법한 고민이었다. 비슷한 시기에 누구나 할 법한 고민이지만 쉽게 해결하지 못하기 때문에 '가족 형편'으로 치부하면 안 된다고 생각했다. 이런 생각에 다다르니 질문한 이들한테 내가 다시 묻고 싶었다. 한번은 인터뷰를 하다가 기자가 똑같은 질문을 했다. 이때다 싶어서 왜 그런 질문을 하는지 되물었다. 기자가 들려준 이야기를 듣고 '어떻게'보다도 더 중요한 사실을 깨달았다.

기자의 아버지는 어릴 적부터 뇌전증 때문에 자주 발작을 일으켰다. 아버지는 일은커녕 약에 취해 멍하니 있는

날이 많았다. 학창 시절 내내 친구들 아버지와 내 아버지가 '다르다'는 현실을 의식하며 지냈다. 성인이 되고 결혼을 약속한 이를 만났다. 최악의 상상이 앞섰다. 연인이 자기 아버지의 '다름'을 이해하지 못할까 봐 걱정이었고, 상견례 자리에서 아버지가 발작을 일으킬까 봐 불안했다.

미리 아버지의 상태를 알리자 연인은 태연하게 알겠다고 답했다. 그런 태연함에도 두려움은 가시지 않았다. 연인이 실제로 난감한 상황을 겪기 전에는 알 수 없는 일이라고 걱정했다. 상견례 날, 제발 아버지가 발작만 일으키지 말기를 바랐다. 걱정은 현실이 됐다. 당황해서 어쩔 줄 모르는 사이, 자기보다 먼저 아버지를 챙긴 사람은 연인이었다. 자기 자신이 두려움을 만들어내고 있다는 사실을 깨닫는 순간이었다.

모두 해피엔딩을 맞지는 않는다. 가족 돌봄 때문에 연인하고 헤어질 수도 있고, 파혼을 당할 수도 있다. 그렇다고 가족의 아픔과 돌봄을 터부시하면 스스로 마음의 짐을 더 짊어지게 된다. 결국 짐을 내려놓는 선택은 내 몫이다. 곁에서 함께할 연인이라면 한 번쯤은 용기 내서 믿어보면 좋겠다. 마음의 짐을 함께 내리고 풀 수도 있다. 꼭 그렇지 않더라도 서로 이해하는 과정이 혼자서 끙끙 앓는

쪽보다는 더 힘이 될 수도 있다.

　서로 이해를 좁히지 못한다면 관계를 다시 생각해볼 필요도 있다. 그런 상황이 두려워 말하지 못하기보다는, 그럴 사람이면 빨리 말하는 편이 더 좋을지도 모른다. 먼저 내가 무엇을 두려워하는지, 어떤 경험을 소화하지 못하는지 되돌아보면 좋겠다. 연인을 신뢰하게 될 뿐 아니라 질병과 돌봄을 터부시하는 사회를 벗어나는 첫걸음이 될지도 모른다.

2022. 02. 14.

의존을 무시하지 않는 정치

미디어와 사회 관계망 서비스(SNS)에 2030 표심을 분석하는 글들이 쏟아진다. 특히 2030 여성의 표심은 '젠더 갈라치기'로 여성을 배제한 국민의힘의 선거 전략이 실패한 현실을 보여줬다. 한편 이재명 후보에게 투표한 58퍼센트의 20대 여성만큼이나 윤석열 후보에게 투표한 33.8퍼센트의 20대 여성에게도 관심이 간다. 33.8퍼센트 중에 내 동생이 있기 때문이다.

　동생은 백신 패스 기간에 이번 정권이 바뀌어야 한다고 생각했다. 백신을 맞지 않아서 내내 고립된 탓이었다. 애초에 국민의힘을 지지한 적이 없었지만, 정권을 교체하려면 어쩔 수 없다고 판단했다. 사표를 만들기보다는 '저

쪽'이 되지 않기를 바라며 투표했다. 선거 결과가 나온 뒤 또래 여성 친구들은 동생에게 원하는 대로 되니까 좋으냐고 비아냥거렸다. 대놓고 여성을 배제한 후보를 찍은 여성 친구에게 같은 여성들은 분노했다.

게다가 동생은 2월부로 계약 종료를 통보받았다. 서른이 코앞인데 삶은 점점 더 불안해지기만 했다. 선거 기간 내내 보수 진영이 활용한 '젠더 갈라치기'를 생각하면 앞으로 동생의 삶은 더 힘들어질 수밖에 없다. 동생이 한 선택이 틀리다는 말은 아니다. 다양한 인간관계가 끊기고 불안정 노동을 견뎌야 하는 고졸 여성의 삶에 어떤 정치가 필요한지 깊이 고민하게 될 뿐이다.

일단 '공정'을 외치는 정치는 해결책이 아니다. 지금 이야기되는 '공정'은 내가 피해자라 여겨지거나 약자가 되면 안 된다고 느끼게 한다. 그런 느낌은 서로 돌보지 않는 심성이 자라나게 하고 어떤 허구를 강화시킨다. 바로 내가 어디에도 의존하지 않고 독립적으로 존재한다는 허구다. 우리는 의존 없이는 자립할 수 없고 능력을 발휘할 수도 없다. 공정과 짝을 맞추는 능력주의는 우리가 상호 의존적이라는 진실을 은폐한다. 상호 의존성을 바탕으로 한 정치가 필요하다.

'공정' 대신 '불평등'을 말하면 어떨까? 사람이 의존해야 하는 여러 자원을 잘 분배할 수 있게 말이다. 이런 대체가 쉽지는 않다. 공정이 주관적 언어인 반면 불평등은 객관적 언어이기 때문이다. 그런 차이를 좁히는 데 참조할 만한 책이 있다. 캐슬린 린치 등이 쓴 《정동적 평등》이다.

불평등이 발생하는 영역은 네 가지다. 경제 체계, 정치 체계, 사회문화 체계, 정동 체계. 앞의 세 영역은 우리가 익히 불평등을 이야기해온 영역인데, 정동 체계는 낯설다. 정동 체계는 사랑, 돌봄, 연대로 구성돼 있으며, '정동적 평등'이란 사랑하고 돌보며 연대하는 삶이 모든 사람에게 고르게 주어지는 상태를 말한다.

'공정'을 지지하는 이들의 근저에 '정동적 불평등'이 자리하고 있을지도 모른다. 저소득 고졸 여성인 동생의 삶은 말할 것도 없다. 정동적 (불)평등 덕분에 우리는 주관적 체험을 경제, 정치, 사회문화적 (불)평등인 객관적 조건 속에서 파악할 수 있다. 더불어 관점 자체가 상호 의존성이라는 진실에 기반한다. '공정'이 아니라 '정동적 평등'을 위한 정치를 가능하게 해야 한다.

지방 선거가 79일 남았다. 지방 선거에서는 그런 정치의 가능성을 보고 싶다. 우리 삶에 가장 가까운 정치이기 때문이다. 올해 초부터 지방 선거에 출마한다는 몇몇 이들 소식을 들었다. 떨어진 청년 '활력'을 끌어올리려는 프로그램을 운영한 청년 활동가, 자기가 출마한 곳을 '외로움' 없는 동네로 만들겠다는 진보 정당인, 모든 주민이 '안정감'을 느낄 수 있는 마을을 목표로 프로젝트를 진행하는 마을 기업가까지. 우리가 서로 의존한다는 진실을 무시하지 않는 정치가 우리 동네에 좀더 가까이 오면 좋겠다.

2022. 03. 14.

돌봄과 치안

'112 신고하신 할아버지는 집까지 안전하게 모셔다 드렸습니다. 112 신고에 감사드립니다.'

지난밤, 길거리에서 마주친 할아버지 소식이었다. 집으로 가는 길, 빠른 걸음으로 오가는 사람들 틈에서 멍한 표정으로 서 있는 한 남성이 보였다. 신발도 없이 맨발에 바지도 거꾸로 입고 있었다. 치매를 앓아 길을 헤매는 분인가 걱정이 됐다.

"할아버지, 어디 가세요? 여기가 어딘지 아세요? 집은 가까워요?"

할아버지는 우물쭈물하기만 했다. 휴대폰도 지갑도 없었다. 우리는 손잡고 길모퉁이로 가서 계단에 걸터앉았다. 나는 곧바로 112에 신고해서 위치를 알렸다. 할아버지는 한 번 잡은 내 손을 놓고 싶지 않은 눈치였다. 한여름 밤인데도 유난히 차가운 손이었다. 덩달아 나도 그 차가운 손으로 더위를 식혔다.

"그래도 오늘은 날씨가 나쁘지 않네요. 아주 추운 겨울밤이면 큰일 났을지도 몰라요."

"맞아, 추우면 큰일 났을 거야."

길어지는 침묵을 끊으려는 내 말에 할아버지가 대답했다. 그렇게 시작한 대화는 자기가 아내하고 단둘이 살고 있으며 지금 아내는 자고 있다는 이야기로 흘러갔다. 집을 나온 과정은 모른다고 했다. 나는 잠들어 있을 할머니를 떠올렸다. 잠에서 깨어나 활짝 열려 있는 현관문을 마주하는 심정은 어떨까 생각했다.

아버지에게 치매가 시작되고 집에서 함께 지낼 때였다. 활짝 열려 있는 현관문과 사라진 아버지는 내가 가장 무서워하는 장면의 하나였다. 첫새벽에 어디에서 어떻게 아버지를 찾아야 하는지, 아침에 제정신으로 출근할 수 있을지, 내일은 또 이런 일이 벌어질지, 밀려드는 불안과 무력감에 쩔쩔맸다. 그때를 떠올리며 할머니가 더 푹 주무시기를 바랐다. 할머니가 잠에서 깰 때쯤 할아버지가 아무

꿈

일 없다는 듯 집에 들어가 있으면 좋겠다고 생각했다.

곧 경찰이 왔다. 이것저것 물어보는 경찰 뒤에서 머뭇거리다가 막상 할아버지에게 인사도 하지 못하고 자리를 떴다. 이튿날 할아버지가 안전하게 집에 간 소식에 안도했지만, 잠깐이었다. 이런 일이 벌어지지 않으려면 무엇이 필요할까?

지난 정부는 '치매국가책임제'를 내걸었다. 전국 256개 지자체에 치매안심센터가 설치됐고, 의료비 부담이 완화됐고, 장기 요양 서비스도 확대됐다. 지역 사회에서 치매에 관한 인식을 높이고 치매 친화적 환경을 조성하려는 노력도 이어진다. 길을 잃을 때를 대비해 경찰에 지문을 등록할 수도 있고 배회감지기를 찰 수도 있다. 지난 5년 양적으로 많은 변화가 일어났지만, 지난날 내가 느낀, 지난밤 거리에서 만난 할아버지의 아내가 느꼈는지 모를 불안과 무력감은 사라질 기미가 없다. 돌봄을 가장 먼저 책임질 주체가 아직은 가족이기 때문이다.

112에 전화를 걸던 때를 찬찬히 되짚는다. 신고가 접수되고, 경찰이 출동하고, 신고 내용이 처리된다. 이 모든 과정에서 나는 돈을 지불하지 않는다. 치안 유지는 국가의 핵심 기능이기 때문이다. 당연하게 느끼던 일을 찬찬히

뜯어보니, 돌봄은 이렇게 될 수 없을까 고민하게 된다.

치안 유지가 국가의 일이면서 시민도 방범대원으로 참여할 수 있듯이, 돌봄 또한 국가의 일이면서 시민이 자발적으로 참여할 수 있다면 어떨까? 112에 신고하듯 돌봄 필요를 신고하면 곧바로 출동해서 신고 내용에 대처하는 국가를 상상해본다. 그런 국가에서는 돌봄과 치매가 불안과 무력감으로 이어지지 않는다. 무엇보다도 우리가 치안의 가치를 무시하지 않듯 돌봄의 가치도 무시하지 않을 수 있다. 돌봄의 가치를 무시하지 않을 때 자발적으로 돌봄에 참여할 수도 있게 된다.

2022. 08. 01.

현행범인체포 통지서

한낮에 실랑이가 벌어졌다. 한 청년 남성이 차고지에 서 있는 버스에 올라타려 했다. 버스 기사는 제지했지만, 갑작스러운 제지는 실랑이로 번졌다. 몸이 뒤섞였다. 버스 기사는 정강이를 걷어차이고 손가락을 긁혔다. 버스에 흠이 났고, 초소 유리창도 금이 갔다. 112 신고를 받고 경찰이 출동했다. 경찰 앞에서 남성은 횡설수설했다. 흥분을 가라앉히지 못한 채 자기 머리를 여러 번 때렸다. 청년은 현행범으로 체포됐다. 죄목은 '특수 재물 손괴'였다.

〈현행범인체포 통지서〉에는 범죄 내용과 체포 이유가 건조하게 적혀 있다. 건조한 사실들 앞에서 우리 중 몇이나 남성이 발달 장애인이라는 사실을 알 수 있을까? 특수

재물 손괴는 발달 장애인을 통제하려는 낯선 이에게 장애인 당사자가 자기 의사를 표현한 '도전적 행동' 때문에 벌어진 일이었다. 집과 작업장을 오가는 이동 지원을 받고 있었지만, 활동지원사가 사정이 생겨 혼자 출퇴근한 날에 그만 사달이 났다.

통지서를 받아든 어머니는 마음이 분주하고 머릿속이 복잡했다. 경찰이 연락한 적은 여러 번 있었지만, 현행범으로 체포된 일은 처음이었다. 어떻게 대처해야 하는지, 실형을 살아야 하는지, 죄다 막막했다. 피해자를 만나 사정이라도 하고 싶었지만 연락처를 알 수 없었다. 기초생활 수급 가정이라 변호사를 선임할 비용도 마땅치 않았다. 여기저기 물어도 형사 절차상 차별 대우나 권리 침해 사안에 한정해 지원한다고 했다. 발달장애인지원센터에서 경찰서나 법원에 동행하는 서비스만 겨우 받았다.

서른을 넘긴 아들을 자립시키려 고민하던 어머니는 이런 일을 겪으니 자립이 더욱 어려운 과제처럼 다가왔다. 피해와 가해가 명확한 사건이지만, 도전적 행동을 하는 발달 장애인하고 더불어 살아가려면 무엇이 필요한지 우리에게 묻는 사건이기도 하다. 어머니가 없을 때 아들이 또다시 가해자가 된다면? 끝까지 아들을 지원하고 변호

꿈

할 단 한 사람이 없다면? 이번 일을 잘 해결하더라도 앞으로 어떻게 될까 걱정이었다.

2020년 한국장애인개발원 자료를 보면 전국에 발달장애인지원센터 17곳이 있지만 상근하면서 법률 지원 업무를 하는 변호사는 1명뿐이다. 가해자가 된 발달 장애인이 발달장애인지원센터를 거쳐 법률 상담을 받은 사례는 2018년부터 연평균 400건이 넘는다. 2019년 국정감사에서도 지적된 문제이지만 별 변화가 없다. 발달 장애인인 아들이 공공 법률 지원을 받지 못하면 어머니가 동분서주해야 한다. 언제까지 가족이 홀로 그런 공백을 메꿀 수는 없는 노릇이다.

"아들이 자기 집에서 작업장 다니면서 친구들이랑 어울리는 일상을 살면 좋겠어. 아침에 일어나서 출근할 때, 퇴근하고 집에 와서 잠들 때, 활동지원사 선생님이 신경 써주면 충분해. 주말이면 나도 만나고 여행도 다니고 말이야. 도전적 행동은 친근한 사람 곁에 없을 때 낯선 상황에 노출되면 나오거든. 그런 상황들을 고려할 수 있다면 충분히 자기 자신으로 살아갈 수 있어."

비장애인에게는 소소한 일상이지만, 그런 일상을 가능하게 하려면 많은 이들이 노력해야 한다. 자기가 사라진 뒤 아들이 일상을 보내는 공간이 시설이나 교도소가 아니기를 바란다. 그렇다고 죽을 때까지 '어머니'와 '아들'로 각자의 삶에 종속되고 싶지는 않다. 이제부터 차근차근 '개인'으로 각자의 욕망이 이끄는 삶을 살아가고 싶다.

이웃인 나는 각자의 자립을 지지하고, 무엇보다도 아들이 자립할 수 있는 조건을 함께 찾아볼 작정이다. 혈연이나 복지 관련 종사자가 아니더라도 이웃이자 동료 시민으로서 함께하고 싶은 일이다. 도전적 행동 때문에 벌어진 사건 앞에서 시설에 격리해야 한다는 '통념'이나 엄마가 더 신경 쓰고 관리해야 한다는 '눈총'을 밀어내고, 그 자리에 다른 세상을 찾아갈 꿈을 채우고 싶다.

2023. 03. 27.

3부

끈

; 의지할 만한 힘이나 연줄, 인연이나 관계를
비유적으로 이르는 말

돌봄 경험 쓰기

아침에 연 메일함에 반가움이 가득할 때가 있다. 아픈 가족을 돌보는 청년들이 보낸 메일이 와 있을 때다. 2년 전 아픈 가족을 돌보는 청년 모임을 만들려다가 사람이 모이지 않아 포기했다. 당사자를 찾기도 쉽지 않은데다, 애써 찾아도 즐겁지 않은 이야기를 왜 굳이 모여서 나눠야 하느냐는 반응이 대부분이었다.

요즘은 조금 달라진 느낌이다. 아픔과 돌봄을 주제로 한 책과 글이 부쩍 늘어나 관심만 있으면 얼마든지 접할 수 있다. 내가 쓴 《아빠의 아빠가 됐다》를 비롯해 아픈 가족을 돌본 청년들 이야기도 재작년과 작년에 연달아 나왔다. 그중에서 세 권을 소개하고 싶다. 자기가 겪은 간병 상황을 다른 누군가에게 비춰 보고 싶을 때 좀더 손쉽게 사례를 찾을 수 있고, 자기가 한 돌봄 경험을 글로 기록하려 할 때 참조가 되면 좋겠다.

가장 따끈따끈한 책은 윤이재가 쓴 《아흔 살 슈퍼우먼을 지키는 중입니다》다. 이재는 마지막 휴식처럼 대학 졸업을 미루고 본가에 들어간다. 가족들은 집에 있는 취업준비생에게 자연스레 할머니를 봐달라 부탁한다. 할머니는 치매가 시작되는 중이다. 취업 준비생 손녀는 돌봄 준비생이었다. "숙식 제공 받고 무급으로 주 5일 근무하는 할머니의 간병인이 되었다."

손녀는 한평생 가족을 위해 희생한 할머니의 삶과 말을 기록으로 남기려 한다. 그 과정은 필연적으로 자기가 겪지 못한 시대를 성찰하게 이끌고, 가부장제에 맞서는 힘을 낳는다. 가부장적 문화는 엄마와 손녀인 자기에게 할머니를 전담하게 하면서도, 정작 장례식에서는 남성들이 중심이 되는 아이러니를 만들어낸다. 그런 상황에 저항한 무급 간병인 이야기는 사적으로 여겨지던 문제를 공적으로 끄집어내는 통쾌함을 전해준다.

전용호가 쓴 《나대지 마라, 슬픔아》는 스무 살 때부터 8년간 루게릭병을 앓는 엄마를 돌본 이야기다. 군대에 있는 동안 엄마가 죽을지 모른다는 공포에 시달리고, 소방관 시험을 보다가 답안지를 백지로 제출한다. 불안 때문이다. "이대로 소방관이 되어 남들을 살릴지 몰라도 내 엄마의 죽음을 방치하는 건 아닐까."

원인 모를 질병을 고쳐주고 싶은 아빠는 각종 약재를 사들이고 사이비 종교나 의료 사기도 마다하지 않는다. 장애인 등록을 낙인으로 생각한 가족은 공적 지원을 받지 않은 채 오로지 사적 자원에 기대어 24시간을 돌본다. 번갈아가며 엄마를 돌보는 남매를 본 친척들은 효녀라며 누나를 치켜세우지만, 용호에게는 남자는 밖에서 일해야 한다고 나무란다. 가부장 문화가 돌봄 하는 여성을 가두고 돌봄 하는 남성을 소외시키는 모습을 보여주는 대목이다.

김달님이 쓴 《작별 인사는 아직이에요》에 담긴 이야기는 집, 요양 병원, 요양원을 오가며 펼쳐진다. 할머니와 할아버지 손에 큰 달님은 도시로 와서 혼자 생활했다. 시골집에 살던 조부모는 노쇠해지더니 치매까지 왔다. "하고 싶은 것도 되고 싶은 것도 많은 내가 지금을 포기하고 도시를 떠나올 수 있을까. 자신 없었다." 달님은 월급으로 감당하기 버거운 요양 병원 입원을 결정한다. 입원은 '포기'가 아니라 '다른 책임'을 지는 선택이다.

요양 병원을 매일같이 면회한 이야기에는 돌보는 마음과 보호자 위치에서 겪는 갈등이 새겨져 있다. 입원한 노인이 누려야 하는 자율성을 고민하는 섬세함도 돋보인다. 달님은 노인의 선택권을 존중할 때 '젊음과 늙음이 대척점이 아닌 연장선'이 될 수 있다고 믿는다.

　　모두 읽을 만하다. 지금 하는 고민과 자기 사정에 맞게 고르면 좋겠다. 젊음에게는 돌봄과 죽음을 생각하지 않을 특권이 있다고 말하는 사람도 있다. 그 특권을 내려놓는 선택도 나쁘지는 않다. 언젠가 내 책을 읽은 한 청년은 미리 돌봄을 생각하면서 마음의 체력과 맷집이 생기더라고 말했다. 내가 쓴 책을 읽고 얼마 지나지 않아 부모를 돌보게 된 청년이었다. 아픔과 돌봄과 죽음은 결국 우리가 마주해야 할 삶이다.

2021. 04. 26.

돌봄과 자연은 영원하지 않다

팬데믹 시대에 축제를 준비하고 있다. 이름은 '생태문화축제'로, 이번 주말 이틀 동안 열린다. 지금 우리는 그동안 인간이 자연하고 관계를 맺은 방식을, 그리고 그 결과 우리에게 닥친 위기를 여실히 느끼고 있다. 이런 시기에 '생태문화'를 기획하려니 고민이 깊어진다. 관객들하고 어떤 공통 감각을 나눠야 할까?

생태문화축제는 서울시 마포구 '문화비축기지'에서 열린다. 이곳이 내건 슬로건은 '석유에서 문화로'다. '문화'비축기지로 바뀌기 전에 '석유'비축기지였다. 문화비축기지는 화석 연료를 사용하면서 성장한 산업화 시대가 남긴 유산인 셈이다.

내가 축제에서 맡은 섹션은 '노동'이다. 우리에게 노동이라는 단어는 공장과 건설로 대표되는 산업화를 연상시킨다. '석유에서 문화로'를 외치는 공간에서 노동을 다루면 산업화 시대의 노동을 벗어나 새롭게 노동을 감각하자는 제안이 될 수 있다.

팬데믹은 인간이 자연을 무한한 자원으로 삼아온 탓에 벌어진 위기다. 인간이 자연을 착취하는 관계는 인간이 하는 노동 덕분에 가능했다. 노동은 자원을 캐고 화석연료를 사용하며 상품을 생산한다. 팬데믹과 기후 위기는 자연을 착취하는 노동이 이제 더는 유효하지 않다는 사실을 드러낸다. 이런 상황에 대응하려면 산업 시대의 사라지는 노동을 친환경 노동으로 전환해야 한다. 바로 '정의로운 전환'이다.

생태문화축제에서 다룰 주제는 조금 다르다. 노동에 생태적으로 접근하려 고른 주제는 '돌봄'과 '아픈 몸'이다. 프로그램 제목은 〈태초에 노동이 있었다 ― 돌봄과 아픈 몸의 노동권을 위한 대화〉다. '태초에 노동이 있었다'는 김남주 시인이 쓴 〈감을 따면서〉에서 따온 시구다. 돌봄과 아픈 몸이 노동으로 인정받지 못하는 현실에는 맥락이 있다는 직관을 공유하고 싶었다.

이제까지 노동은 '몸이 건강한 남성 생계 부양자가 하는 생산 노동'을 표준으로 삼았다. 돌봄은 가정 안 여성이나 약자에게 맡겨져 밥벌이보다 못한 취급을 받았다. 자본은 건강한 몸만이 할 수 있는 노동 강도와 노동 시간을 요구했다. 생산물을 만들지 않는 '돌봄'과 생산력을 보장하지 못하는 '아픈 몸'은 배제됐다. 이윤을 창출할 수 없기 때문이었다. 왜 '돌봄과 아픈 몸의 노동권'일까?

'가장'인 남성이 생산 노동을 하려면 여성이 가정에서 공짜로 가사와 돌봄을 해야 한다. 반대로 말해, 돌봄 노동이 없다면 생산 노동도 없다. 바로 이런 속성이 돌봄과 자연을 잇는 연결점이다. 돌봄과 자연은 생산 노동을 하는 데 꼭 필요하지만 영원한 공짜 취급을 받는다.

돌봄과 자연은 영원하지 않다. 돌봄을 하는 여성, 약자, 자연이 하는 희생을 바탕으로 유지될 뿐이다. 돌봄과 자연을 잇는 연결점은 돌봄이 탄소를 배출하지 않는 친환경 노동이라는 점에서도 잘 드러난다. 잘 돌보고 돌봄 받는 '돌봄 사회'와 탄소 중립 사회로 전환하려는 '그린 뉴딜'은 그렇게 연결될 수 있다.

'아픈 몸'은 일터에서 차별받거나 배제되기 일쑤다. 노동은 생계를 유지하는 수단이면서 단순한 수단을 넘어선다. 노동은 삶의 한 종류이고, 사회하고 관계 맺는 행위이며, 보람을 얻는 과정이다. 건강한 몸뿐 아니라 다양한 몸의 노동권을 보장할 방법을 고민해야 한다.

사회 안전망 밖으로 밀려난 불안정 노동이 빠르게 늘고 있다. 고용주가 명확하지 않아 전통적 고용 관계 밖에 놓인 탓에 '노동자'로 불리지 못하는 이들까지 '일하는 시민'을 모두 포괄한 사회 안전망이 필요하다. 새로운 보편적 노동권을 구성하는 과정에서 돌봄과 아픈 몸이 설 자리를 함께 찾아야 한다. 노동, 돌봄, 아픈 몸, 생태에 관해 더 많이 이야기해야 한다. 이번 주말에 열리는 생태문화축제가 그런 시작이 될 수 있기를 바란다.

_____
2021. 05. 24.

'공정'과 '형제 격차'

부모님이 이혼한 뒤, 여동생하고 나는 경제적으로 완전히 독립했다. 아픈 아버지를 돌보니까 나에게 경제적으로 의존하면 안 된다는 암묵적 규칙이 있었는데, 이 규칙은 올해 1월부터 깨졌다. 동생은 월세가 밀렸고, 카드 빚이 불어났고, 일을 못 구했다. 이것저것 지원 정책을 찾아봐도 요건 한두 가지가 안 맞아 신청하지 못했다. 게다가 집주인은 2년 계약이 끝나 가자 이 시국에 안 힘든 사람이 어디 있느냐며 월세를 올리겠다고 못을 박았다.

'혈연'에게 손 벌릴 일만 남은 듯했다. 나는 불어난 카드 빚이라도 갚아줘야겠다 싶어서, 마지막이라는 마음으로 나름 큰돈을 지출했다. 정말 마지막이 될지는 잘 모르겠다. 동생은 며칠 전부터 파트타임으로 물류센터에 다니면서 자격증 공부에 열중하고 있다. 이런 노력이 안정된 소득으로 이어지면 좋겠다.

정치권과 언론은 연일 '공정'이라는 두 글자를 두고 이러쿵저러쿵 떠든다. 청년 시민들에게 몫을 나눌 기준을 논의하는 장이 열린 셈이다. 가장 큰 목소리는 경쟁을 거쳐 실력을 입증한 사람만이 제 몫을 차지할 수 있다는 능력주의다. 능력주의는 한 사람을 '독립된 인간상'으로 전제한다. 한 사람이 가진 것은 오로지 그 사람이 한 노력 덕분이라고 여긴다. 이런 사고방식은 한 사람을 존재할 수 있게 한 '의존'을 상상할 여지가 없다. 그 사람이 의존한 대상을 철저히 은폐할 뿐이다. 무엇에 의존하지 않고 존재할 수 있는 사람은 없다.

은폐된 자리를 '비공식 복지'라 부를 수 있다. 손병돈이 쓴 《한국의 비공식 복지》를 보면 '비공식 복지'란 혈연, 지연, 학연, 직장연 등 연줄망을 거치는 복지다. '현금'과 '현물'을 주고받는 형태부터 서로 돌보고 돌봄 받는 '서비스', 주거 공간을 공유하는 '동거'까지 모두 비공식 복지에 들어간다. 대개 가족 사이에 '당연하게' 주고받는 사적 지원이 대표적이다.

자기 자신을 독립된 인간이며 능력의 원천으로 상정하려면 바로 이 비공식 복지가 탄탄해야 한다. 만약 비공식 복지가 탄탄하지 않다면, 어떤 이에게 아쉬운 소리를 하면서 어쩔 수 없이 의존해야 하거나, 반대로 나에게 의존하는 어떤 이를 겨우겨우 감당하며 버텨야 하기 때문이다. 탄탄하지 못한 비공식 복지 속에서 스스로 능력만 발휘하면 원하는 목표를 성취할 수 있다고 생각할 겨를은 없다. 나처럼 아픈 부모를 돌보는 청년들이 그렇고, 가난한 형제에게 손 벌려야 하는 동생이 그렇다.

몇 년 전, 일본에서 '형제 리스크'와 '형제 격차'라는 말이 등장했다. 고령 인구가 늘어나면서 부양을 책임지는 인구가 많아진데다가 거품 경제 뒤 노동 시장이 불안정해지자 경제적으로 자립하지 못한 중장년층도 많아졌다. 거기에 비혼이나 이혼 등으로 가족 형성을 하지 않는 사람도 늘면서 형제 부양 문제가 촉발됐다. 이 문제를 집중해서 다룬 《나는 형제를 모른 척할 수 있을까》는 형제 리스크를 '자신도 여유가 없는데 다른 형제의 가난을 그대로 떠안아 공멸하는 리스크'라고 설명했다. 이 문제가 사회적으로 논의되지 않는 이유는 간단하다. "'내 가족'과 사회는 다른 차원이라고 무의식적으로 생각하기 때문이다."

부모 부양이 리스크가 되는 수준을 넘어, 격차가 생긴 형제까지 부양해야 하는 상황은 한국도 마찬가지처럼 보인다. 각자 알아서 살아남으라고 하면서도 여전히 혈연 중심 비공식 복지가 강하게 작동하기 때문이다. 지금 '공정'만을 외치는 방식은 이런 문제를 은폐할 뿐 아니라 더 악화시킬지도 모른다. 은폐된 자리에서 시작해야 한다. 우리 모두 의존하며 살아온 존재라는 진실에서 말이다.

2021. 06. 21.

생존자 발견

아픈 가족을 돌보는 청년들 모임을 진행하고 있다. 2년 전에는 사람이 모이지 않아서 흐지부지됐다. 이제야 함께 할 사람들이 제대로 모였다. 여섯 명이 모두 10대 시절이나 30대 초반부터 돌봄을 한 적이 있거나 여전히 하고 있는 당사자다. 몇 번 모임을 더 진행한 뒤에 지금까지 나눈 경험을 기반으로 돌봄 당사자가 참여할 수 있는 행사를 함께 기획할 동료들이기도 하다. 그동안 돌봄 경험을 담은 시를 썼고, 커뮤니티 케어 정책에 관해 토론했다. 돌봄을 하며 느낀 기쁨과 슬픔을 나눴고, 돌봄이 끝난 뒤에 살아갈 계획을 들었다.

모임을 진행하는 동안 한 동료는 직업 훈련을 마치고

첫 출근을 했다. 첫 출근 날 동료 아버지는 중환자실에 들어갔다. 장기에 문제가 생겼다. 직장에 적응하는 데 온 신경을 쏟아도 모자랄 판이었지만, 동료는 아버지가 회복되기를 바라는 마음에 줄곧 속이 탈 뿐이었다. 차라리 직장에서 자리를 잡은 뒤에 이런 일이 벌어지면 어땠을까. 마치 '운명의 장난'처럼 느껴지는 상황이었다. 그런 '운명의 장난'은 아픈 가족을 돌보는 청년들에게 자주 벌어지는 일이었다. 진로 이행과 가족 돌봄, 생계 부양이라는 삼중 과제를 지고 있기 때문이다.

'비슷한' 경험이 있는 청년들이 모이니 '운명의 장난'을 구구절절 설명할 필요가 없다. 일상에 닥친 돌봄 위기가 다양한 계기로 나타나는 모습을 각자 지내온 삶이 증명하고 있었다. 말하지 않아도 이해받는 상황에서는 자기 상황을 설명할 수 있는 언어를 찾아 헤매지 않아도 됐다. 각자의 언어가 포개져 각자의 상황을 드러냈다. 지난날 내가 아픈 가족을 돌보는 청년들을 만나서 나누고 싶던 감각을 실제로 마주할 수 있었다.

모임 도중에 급히 가야 할 일이 생긴 동료도 있었다. 어머니를 맡아줄 사람이 없었다. 돌봄 때문에 갑자기 모임이나 약속을 취소하는 상황은 나도 익숙했다. 이번에는 조금 달랐다. 내가 돌보는 가족을 잠시 보호해줄 곳이 없을 때는 모임에 함께 오면 그만이었다. 모임 성원들은 모두 자기만의 돌봄 노하우를 지녔고, 이런저런 질병도 어느 정도 이해하고 있었다. 우리는 동료 어머니가 욕을 하거나 때리더라도 이해한다는 우스갯소리를 나눴다. 서로 차근차근 쌓아온 신뢰 위에서 이런 농담을 주고받으니 괜히 설렜다. 어쩌면 이 모임이 '집 밖 활동'과 '집 안 돌봄'의 대립을 해결할지도 모른다는 기대가 생겼다.

돌보는 가족에 관해 말하는 언어도 서서히 바뀌었다. 나는 병원에 가면 아버지가 어디가 아프고 무엇을 못하는지 이야기하느라 바빴고, 공공 기관에 가면 아버지가 얼마나 무능하고 나를 힘들게 하는지 힘주어 설명했다. 그래야 진단서를 받고 복지를 신청할 수 있었다. 모임에서는 정반대 언어를 쓰기 시작했다. 내가 돌보는 이는 무엇을 잘하는 사람인지, 그 사람의 존재가 어떤 의미가 있는지 말할 수 있었다. 어느새 돌보는 이의 좋은 점을 자랑하는 분위기도 자리 잡았다. 영 케어러가 모이면 아픈 이가 지닌 역량을 발견하는 대화도 나눌 수 있다는 사실을 새삼 깨달았다.

'생존자 발견.' 첫 모임 뒤 한 동료가 남긴 소감이다. 마치 좀비 영화에서 사람을 발견한 듯한 기분이라 했다. 안전이 보장되지 않은 세계에서 살아남은 이들이 모여야 안전한 세계를 만들어갈 수 있다. 모임을 하면서 가장 크게 느낀 점이 바로 그런 세계의 가능성이다. 새로운 돌봄 문화를 만들어갈 생기를 느낀다. 진로 이행, 가족 돌봄, 생계 부양이 꼬이지 않고, 집 밖 활동과 집 안 돌봄이 대립하지 않으며, 아픈 이를 무능만으로 설명하지 않는 세계의 모습이 현현해진다.

———

2021. 10. 18.

끝

죽음 이전에 삶이 있었다

며칠 전 사회보장정보원을 다녀왔다. '가족돌봄청년의 현황과 과제'라는 세미나에 강사로 참여했다. 보건복지부 산하 사회보장정보원은 보건 복지 서비스를 시민에게 잘 전달하는 데 필요한 정보 시스템을 구축하고 운영하는 곳이다. 이 세미나는 행정 데이터 속에 묻혀 잘 보이지 않는 돌봄 청(소)년들의 고통을 찾아내는 첫걸음인 셈이다.

사회보장정보원이 입주한 보건복지행정타운은 거대했다. 거대함에서 어떤 힘을 느꼈다. 거대한 데이터를 뒤져 보이지 않는 고통을 찾아내려는 의지라고 할까. 그런 힘은 국가가 나를 잘 보살필 듯한 안온함을 주는 동시에 이 거대함이 미세한 고통까지 포착할 수 있을까 하는 의문을 품게 한다. 이 의문에 마땅한 답을 찾는 과정에 나도 기여하고 싶었다.

나는 내가 겪은 일과 그동안 만난 돌봄 청(소)년들이 겪는 공통된 문제를 짚었다. 예상하지 못한 이유로 기초생활 수급자 신청에서 탈락하거나 돌봄 서비스를 받지 못한 사례, 돌봄에 관해 알려주거나 앞으로 어떻게 살아가야 할지 함께 의논할 어른이 없는 사례, 또래들 사이에서 고립된 사례 등을 나눴다. 이야기를 하는 내내 직원들은 같이 탄식하고 안타까워했다.

강의를 마치고 직원들하고 나눈 대화에서는 다양한 '발굴' 아이디어가 오갔다. 돌봄 청년, 자립 준비 청년, 고독사 지원에 관련한 정보원이 하는 구실에 관해서 들을 수 있었고, 데이터에 기반한 '시나리오 접근법'을 활용할 수 있겠다는 희망도 나눴다. 발굴보다 발굴 뒤 서비스 연계가 더 중요하다는 데 뜻이 모였다. 같은 뜻을 품는다는 말은 희망이 선명해진다는 뜻이기도 하다. 계속 노력하면 세상이 조금 더 나은 방향으로 나아가리라는 막연한 기대를 품게 된다.

요즘 들리는 소식들은 내가 품은 희망과 기대가 얼마나 어설픈 바람인지 말해주는 듯하다. 광주에서는 자립 준비 청년 2명이 막막한 삶에 절망하며 생을 마감했고, 수원에서는 세 모녀가 가난과 질병에 쫓기다가 세상을 떴다. 정부는 자립 준비 청년을 '부모 심정'으로 돌보겠다며 나섰고, 위기 가구 선별 정보를 34종에서 39종으로 늘리겠다는 대책도 내놓았다. 이런 대책이 지금도 어디에서 고통을 견딜 누구에게 한시라도 빨리 가닿기를 바랄 뿐이다.

만족스럽지는 않다. 죽지만 않게 해주는 정도의 대책이라는 인상을 지울 수 없다. 죽음으로 세상에 알려진 고통이지만, 죽음 이전에 삶이 있었다. 죽지만 않게 하는 수준을 넘어, 삶의 고통을 없애고 더 나은 삶을 살 수 있게 해야 한다. 먼저 자립 준비 청년 대상 지원을 확대하고, 기초생활보장 수급자를 선별하는 빡빡한 기준을 느슨하게 바꿔야 한다. 받을 수 있는 복지 서비스가 없다면 발굴은 무의미하다. 동시에 거대한 데이터뿐 아니라 작은 일상에서도 대책을 마련해야 한다.

힐러리 코텀은 《래디컬 헬프》에서 돌봄과 복지의 근본적 전환을 요구한다. 세상은 빠르게 변하는데, 20세기에 구상된 복지국가는 변화에 적절하게 대응하지 못한다. 이제 복지는 위기 관리에 필요한 서비스를 제공하는 수준을 넘어 한 사람의 삶의 가능성을 펼칠 수 있게 해야 한다. 그런 변화를 가능하게 하는 조건은 '관계'다.

아무도 고립돼서는 안 된다. 모든 사람이 넓고 다양한 관계 속에서 삶의 의미를 곱씹으며 더 나은 생애를 전망할 수 있어야 한다. 그래야 이 복잡한 세상을 살아갈 때 필요한 정보나 지식을 관계의 역동 속에서 나눌 수 있고, 위기 가구 선별을 거쳐도 파악되지 않는 고통을 관계 속에서 발견할 수도 있다. 위기 속에서 더 나은 삶을 상상할 수 있으려면 정책 변화하고 함께 우리 삶도 변화해야 한다.

———————

2022. 09. 05.

함께 일하기에 필요한 마음

함께 모여 창작을 하는 동료들이 있다. 콜렉티브를 꾸려서 2년 정도 작업을 이어왔다. 올해는 처음으로 외국에 나가서 영상 작업을 상영하고 공연을 했으며, 며칠 전에는 한 해 동안 연구한 주제를 발표하는 행사를 열었다. 행사를 할 때마다 늘 적지 않은 관객들이 함께해서 놀란다. 협업 경험이 쌓이면서 갈등도 생기지만 보람이 쌓인다. 함께 만든 결과에 호응해주는 이들도 있어서 그다음 협업을 상상하게 된다.

외국에서 사운드 공연을 준비하는 때였다. 공연을 하는 동료 ㄱ이 그날따라 연신 장비들을 매만지며 긴장했다. 긴장을 조금 풀어주려는 마음으로 내가 말했다.

"혹시 장비 고장 나면 내가 노래라도 부를 테니 걱정하지 마요!"

막상 공연을 시작하니 짜 맞추기라도 한 듯 장비들은 묵묵부답이었다. 전원을 끄고 다시 켜도 소용없었다. 30명 정도 되는 관객이 앉아 있었고, 흔들리는 동료의 눈동자는 나를 향하고 있었다. '에라 모르겠다.' 두 눈 질끈 감고 노래를 불렀다.

"지치고 힘들 땐 내게 기대 언제나 네 곁에 서 있을게."

지오디가 부른 〈촛불 하나〉가 내 입에서 흘러나왔다. 어설픈 노래에도 관객들은 박수를 쳤고, 노래가 끝나갈 때쯤 장비들이 켜지면서 공연이 시작됐다. 기적 같은 타이밍!

공연을 마치고 ㄱ은 고맙다는 말하고 함께 이런 이야기를 들려줬다.

"협업이 뭐 대단한 일은 아니네요. 옛날에는 같이 작업하면 공동으로 책임과 권한을 지고 효율적으로 소통해야 한다고 생각했어요. 협업은 거창한 뭔가가 아니라, 아주 작은 순간에서 발생하는 것 같아요. 줄자로 길이를 재려고 할 때 줄자 끝을 손가락으로 잡아주는 협업, 그 정도만 돼도 일이 진행되는 건데, 내가 작은 협업들에 의존하면서 여기까지 온 사실을 잊고 살았어요."

즐거운 해프닝으로 끝날 수도 있는 순간이었는데, 나도 덩달아 협업의 감각이 깨어났다. 내 일상이 크고 작은 돌봄 덕분에 이어진다는, 일할 때도 누군가 품을 내주고 배려한 덕에 성과를 낼 수 있다는 감각. 이런 의존은 내가 낸 성과를 '내 능력 덕분'이라고 생각하는 순간 손쉽게 무시된다. 만약 권력 관계에서 우위에 있는 사람이 이런 생각을 품으면 어떨까? 연극배우로 활동하는 동료 ○이 얼마 전 극단을 나온 이유가 딱 그랬다.

극단은 수평적인 '공동' 창작을 추구했다. 그런데 연출자하고 단원 사이에 갈등이 생기면 모두 같은 자격을 지닌다는 이 '공동'이라는 룰은 작동을 멈췄다. 연출은 자기가 지금까지 수행한 일을 단원들 앞에서 열거한다. 단원들에게도 똑같이 하라고 시킨다. 공연을 준비하느라 누가 더 고생하는지 확인해보자는 식이다. 그런 단순 비교가 공정하지 못하다고 항의하면 그런 문제 제기는 연출이 한 노고를 폄하하는 짓이 된다.

"너희들이 뭐 했어? 내가 다 했어!"

○은 연출이 한 이 말이 오랫동안 마음에 남는다고 했다. '너 아니어도 된다'는 말로 들리고, 자기 노동이 무가치하다고 느껴진다 했다. 단원들의 자기 착취를 북돋지

만, 그렇다고 작품에 마땅한 크레디트가 들어가지도 않는다. 모든 결과는 연출의 이름으로 공개될 뿐이다.

자기가 쏟은 노고를 치켜세우며 다른 이들의 노고를 깎아내리는 방식은 많은 이들이 협업에서 갈등이 생길 때 자주 겪는다. 갈등 상황에서 타인이 한 노고를 무시하는 요인의 하나가 상처받고 싶지 않은 마음이다. 나한테 필요하던 사람이 상처 주는 사람이 된다면, 혼자서 해낸 일이라는 생각은 방어 기제가 된다. 어쩌면 상처를 감수하는 마음이 중요할지도 모르겠다. 상처를 감수해야만 의존을 온전히 감각할 수 있다고 말할 수도 있겠다. 상처를 감수하는 태도는 더불어 일하는 데 필요한 마음가짐이다.

———————

2022. 12. 26.

4부

돈

; 사물의 가치를 나타내며, 상품의 교환을 매개하고,

재산 축적의 대상으로도 사용하는 물건

권태로운 위기

"제발, '기타 질환' 진단은 안 될까요?"

나는 또 처량해졌다. 다시는 이러고 싶지 않았다. 추석 연휴가 끝나고 아버지가 받는 기초생활 수급자 의료 급여 일수가 초과한 사실을 통보받았다. 나라에서 지원하는 의료비 한도를 넘어선 상태라는 뜻이다. 아버지는 요양 병원에서 지낸다. 몇 년 뒤에 내가 기반이 생기면 퇴원을 계획하고 있지만, 지금은 아니었다. 어떻게든 이번 주 안으로 진단서를 받아야 했다. 요양 병원 원무과장에게 〈의료 급여일수 연장승인 신청서〉를 내밀었다.

"이틀 있다가 의사 면담 하면서 잘 얘기해보세요."

늘 사정을 봐준 직원도 이번에는 확실히 답하기 애매

한 듯했다. 기초생활보장 의료 급여는 네 종류다. 그중 아버지는 두 종류를 받고 있다. 하나는 치매, 또 하나는 알코올 의존증이다. 주민센터에서는 '기타 질환'에 해당하는 알코올 의존증 질병 코드를 받아오라고 일러줬다.

아버지가 요양 병원에서 지낸 지 2년이 가까웠다. 그만큼 술에서 떨어져 지냈고, 지금도 알코올 의존증 진단이 나올 수 있는지는 오롯이 판단의 영역이었다. 주치의 재량이 모든 상황을 결정했다. 아버지 주치의는 치매로 의료 급여 연장 신청서를 부탁한 지난번에도 마뜩잖아했다. 자기가 쓰는 진단서 한 장이 세금 낭비를 초래한다고 생각했을까, 아버지가 병원에 있을 필요가 없다고 어림잡았을까. 알 수 없다. 내가 책을 내고 여기저기 방송에서 돌봄 사회화를 외치고 다닐 때도 개인적인 일을 보편적인 척 말하지 말라고 한소리를 한 사람이었다.

때마다 찾아오는 수급 평가에 내 모든 일상이 걸려 있었다. 심의를 거쳐 '의료 급여 과다 이용'을 잡는다지만, 아버지는 단 한 번도 의료 쇼핑을 지나치게 한 적이 없다. 심의는 내가 성취하고 있는 모든 것을 주저앉힐 싱크홀 같았다. 언제 꺼져도 이상하지 않을 땅 위에 글과 활동을 차곡차곡 짓는 꼴이었다. 계속 사회적 활동을 할 수 있을까? 글 마감은 지킬 수나 있을까? 아버지를 원망하지 않을 수 있을까? 의사에게 뭐라고 부탁해야 할까? 부탁할 때는 어떤 표정을 지어야 할까? 나는 쉽사리 답하지 못할 오만 가지 질문에 허둥댄다. 심의를 통과하지 못한다면? 하던 활동이 뒷전으로 밀리고, 아버지가 벌이는 돌발 사고에 혼자 쩔쩔매고, 감당 못할 병원비에 휩쓸리는 내 모습이 그려졌다.

이런 위기감은 내가 가난하다는 사실을 지독하게 상기시킨다. 위기감에 허둥대면서도, 한편으로는 권태롭다. 매번 반복되는 위기이기 때문이다. 매번 반복되는 위기를 나는 언제까지 매번 반복해서 써야 할까. 언제쯤 이 상황은 글쓰기 소재가 되지 않을 수 있을까. 권태로운 위기감에 한 주 동안 뜬눈으로 새벽을 맞았다.

근로 능력을 평가할 때는 아버지에게 남아 있는 기력조차 원망스럽다. 아버지는 평가하는 사람들 앞에서 건강하다고 증명하려 안간힘을 다한다. '쓸모없다'는 낙인이 두려운 탓인 듯하다. 나는 옆에서 어서 낙인을 찍으라며 아버지가 쓸모없는 사람이라고 열심히 강조한다. 그래야만 수급 자격을 유지할 수 있기 때문이다. 심의는 아버지의 남은 기력이나 역량을 지워버리는 일이 된다. 제도와 일상의 간극을 혼자서 메우느라 나는 지친다.

"기타 질환으로 써드릴게요."

며칠 전 바뀐 주치의가 선뜻 연장 신청서를 써줬다. 지난번 주치의가 아직 있었다면, 나는 진료실 안에서 싹싹 빌어야 했다. 한 사람과 한 가족의 삶을 좌우하는 모든 판단을 의학과 숫자에 맡겨버린 제도를 원망하고 싶어도, 끝 모를 열패감이 나를 짓눌렀다. 그래도 이 신청서 덕에 얼마간은 다시 글과 활동을 차곡차곡 쌓아 올릴 수 있게 됐다. 언제 꺼질지 모르는 땅 위라 해도 말이다. 어디에서 권태롭도록 반복되는 위기를 혼자 감당하고 있을 기초생활 수급자와 부양 의무자들에게 위로와 응원을 보낸다.

———————
2020. 10. 12.

청년은 돈을 어디에 썼나

아직도 간간이 청년수당이나 기본 소득을 주제로 한 방송 출연 제안이나 인터뷰 요청이 들어온다. 내가 청년수당을 받은 당사자이기 때문이다. 청년수당은 청년이 하는 활동을 취업과 창업으로 제한하지 않고 다양한 진로 이행을 지원하는 현금 지급 정책이다. 정책에 참여한 지 벌써 3년이나 지났다. 여전히 내가 분배 효과를 '인증'해줄 좋은 화자로 여겨지는 듯하다. 그런 '인증'이 정책 홍보로 끝날 수 있다는 염려도 있었지만, 분배 문제를 더 활발히 논의하는 계기가 되기를 바라면서 인터뷰를 몇 번 했다.

대개 핵심 질문은 이렇다. 그 돈을 어디에 썼는가? 그 돈을 써서 어떤 결과물을 냈는가? 이런 질문이 주가 되는 이유는 현금 지급 정책을 둘러싸고 보수 언론과 여론이 쏟아내는 비난이다. '사지 멀쩡한 사람에게 왜 지원을 하느냐'는 반발이 여전히 이어지고 있고, 청년들이 나랏돈을 '탕진'하고 '도덕적 해이'에 빠진다는 불신도 가득하다. 그러니까 저런 질문에는 청년 또는 분배 받는 시민을 향한 불신이 짙게 깔린 셈이다. 나는 그런 불신의 대상이 되는 불편을 꾹꾹 참으며 결백을 증명한다.

"저는 돈을 밥값에만 썼고, 책이라는 결과물을 냈어요."

찬성과 반대 사이에서 청년 당사자에게 '허용'되는 발언은 이 정도라고 느꼈다. 다른 말은 편집되기 일쑤였다. '아직' 세상은 분배를 해야 한다는 최소한의 합의도 하지 않은 탓이었다. 그렇다고 미디어가 없는 말을 지어낸 적은 없었다. 나는 나랏돈을 '탕진'하지 않았고, '도덕적 해이'를 저지르지 않았으니까.

결백을 주장하는 발언만 조명될수록 분배를 둘러싼 다양한 논의보다는 기성세대가 신뢰할 수 있는 '청년 이미지'만 남는다. 문제는 그런 이미지가 청년에게 작동하는 정상과 비정상이라는 구분을 강화한다는 점이다. 나랏돈을 '탕진'하고 '도덕적 해이'에 빠지는 청년은 '비정상'으로 분류된다.

정상과 비정상을 이렇게 구분하면 더 본질적인 질문으로 나아가지 못한다. 돈을 '탕진'하는 청년이 만에 하나 있더라도 그런 행동을 하게 되는 이유를 알 수 없고, 설사 '도덕적 해이'에 빠지더라도 그렇게 되는 맥락을 살펴볼 수 없다. 단지 개인의 의욕만을 문제 삼는다면 청년 또는 분배 받는 시민에 관한 불신만 조장할 뿐이다.

정말 '탕진'과 '도덕적 해이'가 걱정이라면 '비정상'이라는 낙인과 감시에 집중해서는 안 된다. 분배 받는 시민이 세상을 느끼는 방식에 더 주목해야 한다. '탕진'과 '도덕적 해이'는 열심히 살아도 더 나은 내일이 오리라는 보장이 없다는 데서 기인한다. 여전히 미래가 불투명하고 노동 시장이 불안한 세상을 어떻게 불신하지 않을 수 있겠는가?

요즘 분배 문제가 더 활발히 이야기되고 있다. 재난을 겪으면서 우리는 지금 당장 새로운 분배가 필요하다는 절박함을 몸으로 느낀다. 생활 안정을 위한 각종 사회 수당이나 재난 지원금, 불평등 해소를 위한 기본 소득과 기초 자산, 사회적으로 필요한 활동에 소득을 보장하는 참여 소득 등 자원을 나누는 방식을 둘러싼 논의가 풍성해졌다. 목적, 규모, 지원 대상이 모두 다르다. 공통점은 정부나 지자체가 직접 현금을 지급한다는 사실이다. '탕진'과

'도덕적 해이'가 벌어질 수 있다는 걱정이 뒤따른다.

　이런 걱정을 좀더 나은 방향을 모색할 수 있는 질문으로 바꿔보자. 정부나 지자체는 분배 받는 시민들하고 어떻게 관계를 맺을까? 분배 받는 시민을 어떻게 인정하고, 시민이 그 과정에서 어떤 감정을 느끼게 할까? 공공과 시민이 서로 신뢰를 강화하려면 현금 지급에 더해 어떤 프로그램이 필요할까? 이런 질문은 재원을 마련할 방법과 분배 방식만큼이나 중요하다. 그래야 자원을 나누자는 말 자체를 의심하는 목소리를 넘어설 수 있다.

2021. 03. 29.

인구 변화와 영 케어러

"자식들한테 돈 좀 달라고 했는데 돈만 축내는 사람 취급을 하더라고요. 나도 다시 돈 벌면 벌 수 있다는 걸 보여주려고 요양보호사 자격증을 취득했어요."

돌봄을 주제로 한 강의를 마치고 한 여성이 들려준 이야기에 나는 입 다문 채 고개를 숙였다. 딸, 아내, 며느리, 어머니로 불리면서 일생 동안 가사, 육아, 돌봄을 이어온 시간도 모자라, 할머니가 돼 손주까지 돌봤다. 일도 돌봄도 쉬지 않았는데, 어디 내놓고 인정받을 경력이 없었다. 재취업으로 요양보호사를 택했다.

끝도 없이 주어지는 돌봄 이야기 앞에서 나는 내 주제를 파악하느라 급급해졌다. 아픈 아버지하고 10년 정도 함께한 일을 가지고 돌봄에 관해 떠들고 있는 내가 부끄러워질 찰나, 중년 여성은 오히려 내 이야기에 공감한다며 위로까지 전한다. 그런 공감과 위로 덕분에 중장년 여성의 돌봄 경험과 청년 남성의 돌봄 경험이 연결돼 있다는 사실을 어렴풋이 느꼈다.

요즘 나처럼 아픈 가족을 돌보는 청(소)년에 우리 사회가 관심을 쏟기 시작한다. 아픈 가족을 돌보는 청(소)년을 가리키는 '영 케어러(Young Carer)'를 주제로 기사를 쓴다면서 취재를 요청하는 사례도 많고, 정부 부처, 지자체, 민간 기업까지 영 케러어를 지원하려는 곳도 늘어난다. 많은 이들이 진로 이행과 가족 돌봄을 병행해야 하는 영 케어러가 마주한 어려움에 공감한다. 이런 상황에는 청(소)년이 아픈 가족을 돌본다는 낯섦이 큰 몫을 한다. 아픈 가족을 돌보는 일은 주로 중장년 여성이 할 일로 여겨진 탓이다. 그렇자면 영 케어러는 그동안 아픈 가족을 돌본 중장년 여성 문제하고 동떨어진 사안이 아니다.

영 케어러는 청(소)년 문제이면서 돌봄 문제다. 빠른 속도로 진행되는 저출생, 고령화, 만혼화, 비혼화 등 인구 변화는 우리 삶이 일찍 돌봄을 마주하는 조건이 되고 있다. 인구 변화 속에서 태어난 아이는 부모나 조부모하고 나이 차이가 많이 나고, 형제가 적거나 없다. 이런 상황에서 아픈 가족이 생긴다면 아이는 영 케어러가 될 가능성이 높다. 청소년기를 원가정에서 돌봄 받는 시기로 보거나 청년을 원가정에서 독립하는 시기로 단순하게 본다면, 영 케어러가 누군가를 돌보면서 겪는 어려움을 제대로 파악할수 없다. 영 케어러는 청(소)년기를 새로운 관점을 볼 수 있는 계기가 된다.

돌봄 문제로 접근하면 영 케어러는 돌봄을 둘러싼 맥락을 성찰하는 계기가 될 수 있다. 돌봄을 가정이라는 사적 영역에 가두고 여성이 맡은 일로 치부하며 낮게 평가하는 관점이 청(소)년이 돌봄을 하게 되는 상황에도 반복되기 때문이다. 직접 만난 영 케어러들 중에는 이혼하거나 어머니가 병을 얻으면서 공백이 된 가사와 돌봄의 자리를 이어받는 사례가 적지 않다. 영 케어러의 생애에서 돌봄 위기는 곧 성별 분업의 위기인 셈이다.

성별 분업을 건드리지 않고서 영 케어러 문제를 풀 수는 없다. 영 케어러 문제를 영 케어러'만'의 문제로 여긴다면 돌봄을 하는 청(소)년들을 잠시나마 구해줄 수 있을지언정, 돌봄 자체가 사회적으로 인정받지 못하고 손해가 되는 세상은 변하지 않는다. 그렇지만 돌봄은 우리 삶의 기반이다. 돌봄 없이 살아갈 수 있는 사람은 아무도 없다. 백번 강조해도 모자라지 않는 사실이지만, 백번 강조해도 중요성을 인정받지 못하는 사실이기도 하다.

이제 나는 중장년 여성들의 돌봄 생애 앞에서 입을 다물고 고개를 숙이더라도, 다시 대화를 시작하려 한다. 돌봄을 사회적으로 인정받기 위해 돌봄 하는 우리는 동료 시민으로 마주해야 하기 때문이다.

2021. 09. 13.

돌봄 중심 생애

청년은 돌봄으로 생애를 전망할 수 있을까?

요즘 자주 곱씹는 질문이다. 당장에 긍정적인 답을 찾기는 쉽지 않다. 돌보는 일은 사회에 진입하는 데 손해가 되고, 경력을 단절시키는 요인이기 때문이다. 그런데도 저 질문을 나누려는 이유는 두 가지다. 언젠가 돌봄을 하게 될 청년의 생애 전망을 통해 미래는 지금보다 더 나은 돌봄 사회가 될 수 있을지 가늠하고 싶다. 더불어 돌봄 하는 삶이 '정상'적 생애 주기에서 벗어나는 이탈이 아니라 생애 자체가 될 수 있는 방법을 구체적으로 고민하고 싶다.

팬데믹 뒤 우리는 공동체에서 돌봄이 얼마나 필수적인지 깨달았지만, 여전히 돌봄은 부담스럽고 피하고 싶은 무엇이다. 내가 지금 바로 돌봄을 해야 한다고 생각하면 부담이 먼저 밀려올 수밖에 없다. 당장에 포기해야 할 일들이 떠오르고, 익숙하지 않은 돌봄 상황이 막연히 두렵기도 하다. 지금보다 국가 책임이 강화돼 돌봄 서비스가 늘어난다면 돌봄은 덜 부담스러운 일이 될까?

내가 하기 부담스러워 다른 이가 돌봐주기를 바라는 마음이 남아 있다면, 돌봄은 '폭탄 돌리기'에 지나지 않는다. 폭탄 돌리기 신세를 벗어나야만 돌봄은 가치가 올라갈 수 있다. 어쩔 수 없이 하는 돌봄을 넘어, 기꺼이 돌봄을 하고 싶은 마음이 들 수 없을까? 모든 사람에게 돌볼 권리가 보장될 수 없을까? 결국 누구나 잘 돌봄 받으려면 모두 어느 정도 돌봄을 부담하는 수밖에 없다. 청년이 돌봄으로 생애를 전망할 수 있어야 한다. 미래에 누군가에게 돌봄을 제공할 수 있다는 가능성이 생애 주기에서 긍정적으로 여겨질 수 있어야 한다. 그렇게 되려면 돌봄이 저평가된 근본적 맥락을 짚어볼 필요가 있다. 바로 '청년'과 '돌봄'이라는 가치의 위계 문제다.

청년기는 흔히 '생산'적 시기로 여겨진다. 생산성을 보장하는 만큼 청년은 미래를 위해 '투자'해서 '인재'로 길러낼 대상인 셈이다. 반대로 돌봄은 비생산적으로 여겨진다.

그렇다면 청년에게 돌봄은 '생산 가능 인구'가 생산을 하지 못하게 하는 걸림돌이나 다름없다. 청년도, 국가도 돌봄을 무시하는 편이 마땅한 듯 보인다. 그렇지만 우리는 돌봄 없이는 온전히 크지 못하고 일하게 될 수도 없다. 우리 삶을 가능하게 한 '투자'는 언제나 돌봄이었다. 그런데도 돌봄은 경제적 생산보다 가치 없는 일로 여겨졌다. 이런 위계 자체가 돌봄을 저평가한 핵심 맥락의 하나다.

자본주의 초기부터 경제적 생산은 사회적 재생산에 의존하면서도 이 사실을 성별 분업에 기대어 제대로 인정하지 않았다고 낸시 프레이저는 강조한다. 생산은 재생산에 기대고 있는 만큼 계속해서 재생산을 무시하면 위기에 빠질 수밖에 없다. 자본주의는 그런 위기의 순간마다 생산과 돌봄의 관계를 재설정하면서 유지됐다. 프레이저는 재설정 과정을 '범주 투쟁'이라 불렀다. 어쩌면 청년과 돌봄을 논의하는 과정은 세계의 중심을 생산에서 돌봄으로 옮기려는 범주 투쟁일지도 모른다.

지금 청년들에게 안정된 일자리는 제한적이고 경제적 자립은 쉽지 않다. 노동을 중심으로 생애를 전망하는 정도도 벅차다. 그런데도 노동 중심 생애에서 돌봄 중심 생애로 전환할 수 있을까? 여성 동료들이 일상에서 친밀성을 추구하지 않는 이유로 성별 분업이 자주 얘기된다. 결혼, 임신, 출산, 육아, 며느리 노릇, 간병 등을 여성이라는 이유로 떠안으며 노동 생애를 위협받는다. 청년의 생애에서 성별 분업을 강화하는 기제의 하나로 부모 자원 의존 여부를 꼽는 연구도 있다. 돌봄으로 생애를 전망하려면 성평등이 중요하고, 소득 보장도 필수적이다.

2022. 10. 31.

1만 원의 효율성

이레는 올해 초 공공 기관 취업에 성공했다. 돌봄과 학업, 취업 준비까지 1인 3역을 하면서 얻은 결실이었다. 이제 남들처럼 9시에 출근하고 6시에 퇴근하는 삶을 살 수 있었다. 원하고 원하던 취업인데, 직장 생활을 잘할 자신이 없었다. 전일제 일자리와 어머니 돌봄을 병행할 수 있을까 생각하다 보면 불안감만 커졌다.

이레는 중증 장애인 어머니를 돌본다. 10대 후반부터 전담해서 올해로 11년 차다. 어머니는 사지 마비라 누워 지내야 하기 때문에 24시간 곁에 사람이 있어야 한다. 지금까지 받던 장애인 활동 지원 서비스 시간으로 전일제 근무는 불가능했다. 어머니가 지낼 집을 따로 마련했다. 1

인 가구가 되니 서비스 시간이 늘었다. 어머니 돌봄과 이레의 직장 생활이 조금은 안정될 수 있을 듯했다.

서비스 시간이 늘어난다고 해서 문제가 다 해결되지는 않았다. 어머니가 갑자기 아플 때도 있었고, 활동지원사가 급한 일이 생겨 집에 오지 못할 때도 있었다. 활동지원사가 코로나에 걸리면 긴 시간 공백이 생겼다. 돌봄 강도가 높은 중증 장애인은 활동지원사를 찾기 어렵다. 돌봄과 일 사이에서 아슬아슬하게 외줄을 타는 두려움을 해소할 방법을 찾아야 한다.

"대체 돌봄 인력이 바로 확보되지 않으니까 고스란히 제 책임으로 돌아와요. 하루에도 수백 번 직장 그만둬야겠다고 생각하게 돼요. 두려움 속에 살고 있죠. 지금 다니고 있는 것도 기적처럼 느껴져요."

얼마 전, 서울시는 '가족돌봄청년' 실태 조사를 발표했다. 발굴한 돌봄 청년 900명 중 45퍼센트가 월 소득이 100만 원도 안 된다고 답했고, 절반 이상이 주거비가 부담된다(66.6%)거나 돌봄 때문에 경제적 어려움을 겪는다(66.1%)고 토로했다. 이런 수치는 돌봄 청년들의 소득이 낮다는 사실을 알려주지만, 나는 돌봄 청년들이 겪는 숱한 걱정과 두려움을 곱씹게 된다. 어렵게 들어간 회사인데도 퇴사를 생각하는 이레의 걱정은 수치화될 수 없기 때문이다. 반복되는 돌봄 위기는 안정된 소득을 보장하는 좋은 일자리에 진입하지 못하게 할 뿐 아니라, 진입하더라도 못 버티고 나가떨어지게 한다. 어렵게 이룬 성취마저 허물어지고 만다.

"제가 안정적으로 일 다니고 어머니도 안전하려면 결국 방법은 하나예요. 돌봄 노동자 샘들 고용이 안정되고 돈도 더 많이 받아야 해요. 지금 어머니 같은 중증 장애인을 돌보면 시간당 약 1만 원 정도 받아요. 금전적인 보상이 적으니, 사명감이 있고 봉사정신이 있는 분들의 희생에 기댈 수밖에 없어요."

이레에게 돌봄 노동자는 어머니를 돌보는 서비스를 제공하는 사람에 그치지 않고 자기 삶까지 가능하게 하는 협력자인 셈이다. 돌봄 노동자의 노동권과 이레의 노동권은 그만큼 긴밀하다.

서울시는 발 빠르게 돌봄 청년 실태를 파악했다. 어느 지자체보다도 훌륭했다. 그렇다고 섣부르게 희망을 품을 수도 없다. 돌봄 노동자의 노동권이라는 당연한 전제를 부정하고 있기 때문이다. 서울시의회는 서울시사회서비스원의 올해 예산을 100억 원이나 삭감했다. 몇몇 시의원은 서울시사회서비스원이 돌봄 노동자 인건비를 지나치게 많이 써서 '효율성'이 없다는 이유를 들었다.

서울시사회서비스원을 설립한 목적은 돌봄 서비스의 공공성 강화와 돌봄 노동자의 노동 조건 개선이었다. 2019년에 시범 사업을 시작해 전국으로 확대됐다. 돌봄 노동자를 시급제가 아니라 월급제 정규직으로 채용한 지자체는 서울시뿐이었다. 돌봄 노동자들은 월평균 223만 원을 받는다. 값싼 취급을 받던 돌봄 노동에 임금을 제대로 주기 시작한 셈인데, 효율성을 빌미로 예산을 줄였다.

돌봄 노동자에게 다시 희생을 강요하는 꼴이다. 돌봄 노동이 불안정해지면 모든 시민의 삶이 연쇄적으로 불안정해진다. 효율성을 말하는 이들도 결국 돌봄을 받는다. 이 진실을 직시하기를 바란다. 효율성보다 돌봄의 가치를 우선해야 하는 이유이니 말이다.

2023. 04. 24.

돌봄 현실, 헤어질 결심

영화 〈헤어질 결심〉의 주인공 서래(탕웨이)는 간병인이다. 간병인 파견업체 '손녀딸노인돌봄센터'를 거쳐 혼자 사는 노인의 집을 오간다. 간병인이라는 직업은 배경에 그친다. 그런데도 돌봄 노동에 주목하는 이유는 서래가 이주 여성이기 때문이다. 병원과 요양원, 집에서 돌봄을 수행하는 간병인이 대부분 중국 동포인 현실에 겹쳐진다. 영화는 오늘날 돌봄을 둘러싼 사회적 맥락에서 무엇을 취하고 무엇을 취하지 않았을까.

중국에서 간호사로 일한 서래는 임종을 앞둔 어머니의 죽음을 도운 뒤 살인 혐의를 피해 한국에 불법 입국했다. 이민 관련 업무를 맡은 남성 기도수를 만나 결혼하지

만, 기도수는 모든 물건에 자기 이름을 표시하는데, 서래의 몸에도 'KDS'라는 머리글자를 문신으로 새겼다. 소유욕이 강한 기도수에게 서래는 '물건'이나 다름없고, 폭력을 일삼으며 추방시킨다는 협박도 한다. 그렇다고 영화가 이주 여성 수난사는 아니고, 돌봄 노동의 현실을 보여주지도 않는다. 외려 서래의 돌봄 노동은 한국 사회에서 중국 동포가 하는 돌봄 노동하고는 다르게 재현된다.

서래는 간병 실력이 뛰어나다. 간호사 출신이라 돌봄뿐 아니라 의료적 처치도 할 수 있고, 여성 노인들은 서래를 '손녀딸'처럼 여긴다. 돌봄 현장에서 중국 동포를 불신하는 분위기가 불거지고 중국 동포의 말투나 습관에서 드러나는 문화적 차이가 차별의 근거가 되는 현실하고는 분명 다른 풍경이다. 현실은 '손녀딸'이라는 가족적 은유를 거쳐 누락된다. 한국인 노인과 중국인 서래의 돌봄 관계에 내재해 있을지 모를 문화적 차이는 마치 없는 일처럼 여겨진다. 갈등 요소가 사라지니 가장 '이상적인 돌봄자'의 모습이 매끈하게 재현된다.

'이상적인 돌봄자'는 자기가 돌보는 여성 노인을 알리바이 입증에 '활용'한다. 혼자 살고, 걷지 못하고, 인지가 저하된 노인이 범죄의 자원이 된다. 폐쇄적 돌봄 관계에서

돌봄 수혜자의 취약한 위치를 간접적으로 보여준다.

돌봄 기술이 로맨스를 위한 행위로 전환되는 때도 있다. 불면에 시달리는 해준 곁에서 서래는 호흡을 맞춘다. 해준은 금세 단잠에 든다. 해준이 잠든 침대 곁에 쪼그린 서래의 모습은 마치 환자와 간병인 같다. 우리는 돌봄의 친밀함이 사랑의 행위하고 얼마나 가까운지 되묻게 된다. 그렇게 영화 속 간병인이라는 직업 세계는 범죄와 로맨스를 위한 조건으로 쓰인다.

영화 〈나이브스 아웃〉도 함께 생각해볼 만하다. 장르 영화이면서, 주인공이 이주 여성이자 돌봄 노동자라는 공통점이 있다. 영화는 노년에 접어든 미스터리 작가 할란이 대저택에서 죽음을 맞으며 시작한다. 자녀와 손주가 여럿 있지만 할란은 간병인 마르타가 하나뿐인 친구였다. 마르타는 파라과이에서 미국으로 넘어온 이주 여성이고, 다른 이주 여성 노동자들처럼 사회적 갈등을 겪는다.

할란의 가족들은 마르타를 옆에 두고 미국 이민 정책에 관해 적대감이 섞인 논쟁을 벌이거나, 일자리 잃은 마르타를 보살피겠다며 허세를 부린다. 할란이 재산을 마르타에게 상속한다는 유언을 남긴 사실이 알려지면서 분위기는 확 바뀐다. 마르타가 할란을 유혹한 탓이라 의심하고, 마르타의 어머니가 불법 체류자라는 사실이 발각돼 추방될 수 있다고 압박한다. '가족 같은 사람'과 '진짜 가족'은 다르다며 상속 포기를 종용하기도 한다.

영화의 마지막, 이 미스터리한 죽음에서 마르타가 간병인으로서 갖춘 전문성이 빛을 발한다. 진실을 밝혀낸 탐정의 추리는 장르적 쾌감을 선사할 뿐 아니라 소수자를 향한 환대의 제스처가 되기도 한다.

몇 년 전, 영상 작업을 하려고 중국 동포 간병인 커뮤니티 단톡방에 들어간 때가 떠오른다. 착취나 다름없는 파견업체 수수료에 대항해 꾸린 공간이었다. 한국에 오자마자 아무런 준비 없이 환자를 보살피게 되는 이들에게 거의 구원 같은 곳이었다. 기저귀 가는 법, 석션 사용법, 욕창 관리법 등을 공유하고 상담도 한다. 한국 사회가 낮춰놓은 돌봄 노동의 질을 중국 동포들이 끌어올리려 분투하고 있었다. 그래도 사고는 끊이지 않았다. 자생적인 움직임만으로 해결할 수 있는 문제가 아니었으니 어쩌면 당연한 일이었다. 매끈하지 않은 돌봄 현실을 바라본다. 우리는 돌봄 현실에서 어떤 것을 취하고 어떤 것을 취하지 않고 있을까.

———————

2022. 04. 25.

5부

때

; 시간의 어떤 순간이나 부분, 좋은 기회나 알맞은 시기

요양 민주주의가 필요하다

아버지를 대면하지 못한지 몇 달째다. 아버지는 지금 요양 병원에 입원해 있다. 치매가 시작되고 벌어질 수 있는 사고를 미리 관리하고 싶은 마음이었다.

"아버지, 오늘 뭐 했어요?"

"그냥 있었지."

요양 병원 안에서 매일 똑같은 일상을 보내는 아버지와 만날 때면 똑같은 대화를 반복한다. 코로나 전에는 같이 산책도 하면서 옛 기억을 더듬거리며 이야깃거리를 찾았다. 이제는 면회가 금지됐다. 얼마 전 점심때 30분 정도 외출할 수 있게 바뀌었지만, 집단 감염을 피하려고 되도록 대면 접촉을 하지 못했다. 아버지는 갇혀 있다는 스트

레스가 쌓이고, 나는 어쩔 수 없다는 무력감에 휩싸인다.

국민건강보험공단에 따르면, 2018년 65세 이상 사망자 중 요양 병원과 요양원 평균 재원 기간은 각각 460일과 904일이다. 생애 마지막 평균 707일 정도를 요양 기관에 떠맡기는 셈이다. 나도 처음부터 떠맡기고 싶은 마음은 아니었다. 면회를 자주 갔다. 내가 병원 안과 밖을 연결하는 유일한 통로라고 느꼈다. 막상 가면 할 일이 없었다. 아버지하고 똑같은 대화를 반복하거나 의사를 만나 새로운 내용 없는 면담만 하는 정도였다. 어느새 나도 띄엄띄엄하게 됐다. 아버지가 살아 있는데도 가끔씩 아버지를 회고했다. 마치 죽은 사람처럼 말이다. 내 삶을 쥐고 흔들던 돌봄 경험을 순식간에 도려내는 느낌이었다. 환자가 죽기 전까지 찾지 않는 보호자가 될 듯한 마음에 불길했다.

아버지는 병원 밖에서 살아갈 수 없을까? 정부는 2019년부터 '커뮤니티 케어' 선도 사업을 시행 중이다. 우리 사회 밑바닥에 자리한 장애인과 노인을 대상으로 치료, 돌봄, 관계망을 탄탄하게 지원하면, 그렇게 보장된 권리가 분수처럼 솟아올라 아버지같이 노인도 아니고 중증도 아닌 사람에게 닿기를 바랐다. 그런 바람은 여전히 꿈이다. 아직 병원 밖에서 아버지의 삶과 나의 삶은 양립할 수 없

다. 가족이 독박 돌봄을 떠안거나 돈 주고 요양 기관에 떠
맡겨야 하는 극단적 선택지만 있을 뿐이다.

요양 기관은 늙음을 격리하고 죽음을 처리하는 닫힌
공간처럼 여겨졌다. 코로나19 때문에 시작된 코호트 격리
도 새삼스럽지 않다. 이러면 안 된다는 데 대부분 수긍하
지만, 매가리 없는 당위와 윤리의 말일 뿐이다. 안전을 핑
계로 존엄을 미루는 방식은 답이 아니듯, 나 또한 더 나은
지역 돌봄 정책이 나올 때까지 아버지의 존엄을 미뤄둘 수
만은 없다. 단순히 부모 잘 모신다는 차원을 넘어 우리의
존엄을 위해 이 문제를 고민해야 한다.

학교가 방역과 교육을 병행할 방법을 고민하듯, 요양
기관도 방역과 요양을 함께할 길을 궁리해야 할 때다. 우
리 모두 동료 시민으로 돌봄과 요양에 참여할 수 있어야
한다. 열린 요양, 참여형 요양이 필요하다. 요양 기관은 이
미 죽어버린 예외 공간이 아니라, 여전히 삶이 이어지는
사회이기 때문이다.

'민주적 요양'이 필요한 때다. 당사자, 보호자, 의사, 간
호사, 요양보호사, 간병인, 영양사, 사회복지사, 지역 주민
등 다양한 성원이 함께 대화를 나눠야 한다. 먼저 코로나
시기에 걸맞은 안전한 면회 방법을 함께 이야기할 수 있

다. 환자 대상 심리 지원, 회진 시간, 주간 문화 행사, 불편 사항 등도 주제가 될 만하다. 서울요양원은 입소자 20명이 총선 때 투표하고 싶어서 거소 투표를 진행했다. 이럴 때 관련 기관 직원뿐 아니라 다양한 사람들이 협력하면 좋겠다.

돈벌이 수단이 된 요양 기관에서 일어나는 비리, 노인 학대, 나쁜 노동 조건 등을 귀가 닳도록 들었다. 폐쇄적일 수밖에 없다는 핑계는 충분히 많다. 우리는 그 많은 안 될 구실에 견줘 돼야만 하는 단 한 가지 이유에 합의해야 한다. 바로 존엄이다. 요양 병원에서 동료 시민으로 내가 할 수 있는 일이 많으면 좋겠다. 요양에도 참여와 민주주의가 필요하다.

———————
2020. 07. 20.

'늦'맘과 '영' 케어러

'늦맘'이라는 낱말을 알게 됐다. 30대 중후반 이후에 첫 아이를 낳은 여성을 부르는 준말이다. 고령 산모를 가리키기도 하지만, 무엇보다 '늦게' 엄마가 돼서 드는 여러 고민을 모아주는 말이다. 출산과 육아에 필요한 체력 걱정부터 아이가 크는 동안 잘 돌보려면 건강해야 한다는 압박까지, 그냥 '맘'들하고는 다른 '늦'맘들의 고민 말이다.

마흔에 첫 아이를 낳은 한 친구는 아이가 성인이 될 때자기는 예순이 된다 생각하니 아이하고 함께할 수 있는 시간이 얼마 없다고 느껴지더라 말했다. 그런 생각 끝에는오래 살아야 한다는 책임감이 따라온다. 자기가 건강하지못해서 아이를 제대로 돌보지 못할까 봐 불안하기도 하다.

20대 비혼 남성인 내가 늦맘의 불안을 이해한다고 하면 분수 넘치는 공감일까? 나는 그 불안에 맞닿은 고민을 한다. 바로 아픈 가족을 돌보는 청(소)년 문제다.

요즘 나는 나처럼 아픈 가족을 돌보는 청년들을 만나고 다닌다. 인터뷰를 정리해 인터넷에 연재도 하고 직접 만나면서 느낀 문제의식을 발표하기도 했다. 가족을 돌보는 일과 진로를 이행하는 일은 자주 충돌한다. 가족을 돌보게 되면 자기가 배우고 싶거나 하고 싶은 일을 쉽게 할 수 없고, 일하면서 저축한 돈을 급한 병원비나 생계비로 쓰기도 한다. 나는 나를 포함해 이런 사람들을 영 케어러라 부르면서 사회적으로 드러내려 노력 중이다.

영 케어러는 만성 질환, 정신 질환, 장애, 알코올 의존이나 약물 의존 등을 겪는 가족을 돌보는 만 18세 미만이거나 젊은 사람을 가리킨다. 한국에서는 아직 익숙하게 쓰이지 않는 말이지만, 일본에서는 지난 몇 년 사이 자주 등장하고 있다.

영 케어러가 등장한 배경에는 고령화, 저출생, 만혼화라는 인구 변화가 자리하고 있다. 한 아이가 태어나면 이미 부모는 중년이고 조부모는 노년에 이른다. 거기에 외동일 가능성도 높다. 일본에서 1인 가구 문제를 연구하는 후지모리 가츠히코는 '싱글 개호(돌봄) 예비군'이라는 말을 만들었다. 저출생 때문에 형제자매 수가 줄어들면서 부모를 혼자 돌봐야 하는 상황을 지적하려는 시도였다.

일본에서 영 케어러를 주목하는 맥락은 꼭 늦맘이 느끼는 불안에 맞닿는다. 그 불안이 현실로 나타난 존재가 바로 영 케어러이기 때문이다. 혹시라도 늙은 부모가 건강하지 않다면, 아이는 영 케어러가 될 수밖에 없다.

지금 한국 사회에서 제기되는 청년 문제도 돌봄 문제의 전조다. 사회에 나오는 준비 기간이 길어지고 생애 이행이 늦춰지면, 그만큼 청년이 자기 일에서 숙련도를 높이고 경력을 쌓거나 재산을 축적할 수 있는 시기도 뒤로 밀린다. 진짜 문제는 부모에게 돌봄이 필요한 시기는 같이 밀리지 않는다는 사실이다. 직업이 안정기에 접어들기도 전에 부모를 돌봐야 하는 상황을 맞닥트릴 수도 있다. 그러면 청(소)년기의 생애 과업은 완전히 꼬인다.

앞으로 그전하고 다르고 더 다양한 돌봄 상황이 펼쳐질 수 있다. 지금부터 고민을 시작해야 한다. 그동안 우리는 출산, 육아, 간병 등 돌봄을 일정한 생애 주기에 수행하는 과업쯤으로 여겼다. 그래서 일정한 생애 주기를 벗어난 '늦'맘이나 '영' 케어러 같은 존재는 정상을 벗어난 예외 상태처럼 느껴진다.

인구 변화 속에서 숱한 예외 상태가 보편적 삶이 될 가능성이 높다. 점점 더 다양해질 돌봄 상황을 예외로 두지 않으려면, 우리는 돌봄이 모든 시민의 몫이라고 말할 수 있어야 한다. 그래야 '늦'거나 '영'한 돌봄이 아니라, 삶하고 온전히 함께하는 돌봄이 가능하다. 모든 사람에게 돌봄 받을 '권리'와 돌봄 할 '자유'가 함께 주어질 때, 어떤 돌봄도 예외가 되지 않는다.

2020. 11. 09.

무사히 노인이 될 수 있을까

나이를 한 살 더 먹는다. 내가 1992년 1월생이니, 곧 만 30세가 된다. 신년을 맞이하니 '장래'에 관한 이런저런 고민이 불어난다. 당장에 올해는 무엇을 하면서 먹고살지 골몰하다가 '어찌저찌 되겠지'라는 낙관으로 불안을 피한다. 창작과 활동을 더 열심히 하자는 다짐도 하고, 글쓰기 주제를 넓게 하자는 계획도 세운다.

'장래' 고민을 본격적으로 촉발시킨 두 가지 요인은 낙관을 쉽사리 허용하지 않는다. 하나는 지난 연말에 도착한 국민연금 보험료 조정 안내 우편이었다. '노후소득준비를 위해서는 젊어서부터 가급적 빨리 가입하시고 가능한 소득을 높게 신고하셔서 보험료를 꾸준히 납부하는 것이 무엇보다 중요합니다.' 틀린 말은 아닌데, 묘하게 배알이 꼴렸다. 먼저 나는 국민연금 지역 가입자다. 사업장 가입자처럼 고용주가 보험료를 함께 부담하지도, 국가가 지원해주지도 않는다. 소득의 9퍼센트를 보험료로 혼자 내는 처지다. 노후 위험을 함께 나눠지자는 국민연금인데, '함께'라는 느낌이 들지 않았다. 다행히 2022년 7월 1일부터는 저소득 지역 가입자를 지원하기 시작한다니 그나마 위안이 된다.

그래도 고민은 다 풀리지 않는다. 또래들이 노후 문제를 고민하면서 이야기를 나눌 때 국민연금은 쏙 빠진다. 지금 같은 소득대체율과 보험료율이 지속된다면 국민연금은 2057년에 고갈될 운명이다. 2057년은 1992년생이 딱 만 65세가 되는 해다. 하루빨리 연금을 개혁하지 않으면 열심히 낸 보험료를 돌려받지 못할지도 모른다는 두려움이 생길 수밖에 없다.

12월 9일 발표된 '장래 인구 추계'도 '장래'를 고민하게 한다. 2020년부터 2070년까지 한국의 인구 변화를 내다본 이번 통계에 따르면 앞선 2019년 예측에 견줘 초고령 사회 진입 시기는 1년 앞당겨진 2024년이다. 2070년이 되면 고령 인구가 1747만 명으로 증가한다. 생산 연령 인구는 10년마다 357만 명 감소해서 2070년이 되면 1737만 명이 된다. 일대일 부양 구조가 만들어지는 셈이다.

일대일 부양 구조는 거시적 구조에서 하는 말일 뿐, 실제 일상에서는 한 명이 한 명 이상을 돌보고 부양해야 하는 상황이 올 수도 있다. 여기에 아픈 가족을 돌보는 청(소)년, 곧 영 케어러 문제를 대입해야 한다. 어린 생산 연령 인구가 아픈 생산 연령 인구를 돌볼 가능성도 무시할 수 없다. 친밀한 관계에서 주고받는 돌봄이 점점 더 희귀해질 뿐 아니라, 청년이 막상 노인이 될 때는 그런 관계가 종말을 고할지도 모른다.

영 케어러 자조 모임에서 우리가 늙으면 어떤 돌봄을 받을 수 있을지 상상해본 적이 있었다. 다들 돌봄 경험이 적지 않은데도 구체적인 상이 떠오르지 않았다. 외려 막막했다. 앞으로 누가 지금 우리처럼 가난과 불안정 노동을 견디면서 아픈 이 곁에서 더불어 살려 할지 고민이 됐다. 누군가를 돌보려 노력하던 사람이 나중에 돌봄을 받지 못하는 상황은 참 아이러니하다.

오늘날 여성 노인들의 삶이 그렇다. 한평생 돌봄을 떠맡다가 노인이 돼 돌봄을 받지 못하는 여성이 흔하다. 반면 사회적 지위가 높거나 경제적으로 안정된 사람은 돌봄을 받은 적이 있지만 돌봄을 하지 않아도 되는 특권을 누린다. 일상에서는 의전이라는 돌봄을 받고, 노후에는 돈으로 돌봄을 산다. 돌봄에 '무임승차'하는 격이다. 여기에서 우리는 '장래'를 둘러싼 낙관의 틈을 비집고 들어갈 수 있다. 사회보험도, 돌봄도 우리 사회의 모든 성원이 부담을 나누려는 사회 연대가 작동해야 하기 때문이다. 청년은 무사히 노인이 될 수 있을까? 공정과 능력주의를 벗어나 함께하는 길을 찾는 수밖에 없다.

2022. 01. 10.

죽이고 죽지 않기 위한 평등

돌봄에서 살인으로 번지는 비극이 끊이지 않는다. 장애 있는 자녀를 죽인 소식, 돌봄 하던 이가 스스로 목숨을 끊은 소식, 그 두 가지가 동시에 벌어진 소식이 반복해 들려온다. 아픈 부모나 배우자를 죽이는 간병 살인도 계속된다.

그런 소식을 들으면 '죽일 수밖에 없는' 이에게 동질감을 느꼈다. 지난날 나를 짓누른 가난과 돌봄의 무게를 떠올리며 극단적 선택 말고는 다른 길이 보이지 않는 순간에 몰입했다. 마음을 쏟던 소식도 끊이지 않고 들리니 어느새 변하지 않는 세상에 혀를 끌끌 차면서 다시 일상으로 돌아가게 된다.

"오죽했으면 그랬겠냐." 돌봄에서 살인으로 번진 사건

앞에서 사람들이 흔히 보이는 반응이다. 혼자서 돌봄을 하다가 살인을 택한 이들을 동정하는 말이다. 가족을 죽인 비정한 살인자라고 질타만 하던 지난날하고는 다른 분위기다. 더는 돌봄이 온전히 가족 책임일 수는 없으며 한시라도 빨리 국가 책임을 강화해야 한다는 사실을 부정하는 사람은 거의 없다. 그렇지만 돌봄 하는 이가 그럴 수밖에 없던 상황을 헤아리는 마음은 자기 의사에 상관없이 죽게 된 돌봄 받는 이의 존재를 잊게 한다. 돌봄에 지친 가족에게 죽게 될 수 있다는 공포를 일상적으로 느끼는 이의 마음은 어떨까. '가해자'에게 동질감을 느끼던 나는 이 질문 앞에서 주저앉는다.

'가해자'의 자리에 있는 마음도, '피해자'의 자리에 있는 마음도 같은 해결책을 지향할 수는 있다. 바로 국가가 더 많은 책임을 지고 돌봄 서비스를 늘리는 방안이다. 그런데도 '가해자'의 자리는 극한의 상황에서 취약한 이가 죽는 결말은 어쩔 수 없다는 전제를 강화시킨다. 그런 전제는 돌봄을 제공과 수혜라는 이분법으로 보게 한다.

수혜와 제공의 이분법은 우리가 관계 속에서 크고 작은 돌봄에 의존하며 살아온 사실을 느끼지 못하게 한다. 우리 모두 돌봄 수혜자인데도 돌봄을 삶의 예외적 요소로 두거나, 돌봄 제공자 관점만으로 돌봄을 바라보게 한다. 이런 상황을 벗어나려면 돌봄에서 살인으로 번진 사건을 평등의 관점에서 되짚을 수 있어야 한다.

돌봄 제공자를 둘러싼 불평등과 돌봄 수혜자를 둘러싼 불평등을 함께 파악하려 시도한 《정동적 평등》을 보자. 평등과 불평등은 네 영역에서 발생한다. 우리에게 익숙한 경제, 정치, 사회문화에 더해 정동 영역을 포함해야 한다. 이 네 영역은 서로 얽히고설키면서 (불)평등을 강화하거나 약화시킨다.

여기에서 정동은 사랑, 돌봄, 연대에 다름 아니다. 사랑은 서로 대체 불가능한 보살핌을 주고받는 친밀한 관계를, 돌봄은 이웃이나 동료 사이에 주고받는 도움이나 돌봄 서비스 등 공동체적 관계를, 연대는 국가나 지자체 수준의 제도와 시민사회 수준의 활동 등으로 권리를 보장하거나 대표해주는 관계를 의미한다. '정동적 평등'이란 대체 불가능한 사랑, 공동체에서 주고받는 돌봄, 권리를 보장하는 연대가 모든 사회 성원에게 고르게 주어진 상태를 말한다.

잘 돌봄 받고 잘 돌보는 관계는 국가 책임만으로 불가능할지 모른다. 국가가 제공하는 돌봄 서비스는 정동적 평등에 필요한 여러 관계의 하나일 뿐이기 때문이다. 우리는 우리가 선 자리에서 사랑, 돌봄, 연대의 관계를 맺을 수 있다. 그러므로 어려운 돌봄 상황에 놓인 어떤 이를 둘러싼 문제는 그 사람만의 일이 아니라 우리의 일이다.

돌봄 받는 이와 돌봄 하는 이뿐 아니라 돌봄에 관계된 다양한 이들의 목소리까지 함께 들어야 한다. 《정동적 평등》을 쓴 사람들이 '돌봄 대화'라 부른 방법이다. 사랑, 돌봄, 연대의 목소리들을 들어야 하기 때문이다. 죽은 자는 말을 못 하고, 죽인 자는 말이 없다. 살아 있는 우리가 동정을 넘어 돌봄 대화를 시작해야 한다. 모든 사람의 정동적 평등을 위해 말이다.

———————
2022. 07. 04.

돌봄과 애도 연습

이태원 참사가 일어난 뒤 국가가 '애도 기간'을 선포한 때, 우리는 프로그램을 준비하고 있었다. 이름은 '돌봄과 애도연습'이다. 아픈 이를 돌보는 청년들의 자조 모임에서 처음으로 하는 공개 강연과 워크숍으로, 7월부터 조금씩 준비한 행사였다.

아픈 이를 돌보다가 병세가 나빠지거나 사고가 날 때면 죽음을 떠올리게 된다. 때때로 불쑥 상실의 순간을 맞을지 모른다는 두려움이 찾아들지만, 혼자 삼키기 말고는 딱히 방법이 없다. 이미 떠나보낸 이들도 돌봄을 하면서 얽히고설킨 감정을 쉽사리 소화하지 못한 채 살아간다. 떠나보내기 전에, 떠나보낸 뒤에도 함께 모여서 상실과 애

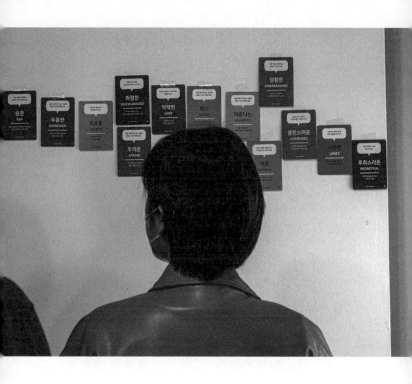

도를 나눌 수 없을까? 좀더 능동적으로 애도를 연습할 수 없을까? 이런 고민을 다양한 시민들하고 나누려는 시도가 '돌봄과 애도 연습'이었다.

우리가 말하는 애도와 국가가 말한 '애도'는 너무나도 달랐다. 우리는 각자의 마음속에 갇혀 있는 애도를 끄집어내 나누려 했는데, 국가는 사회적 참사 앞에서 애도를 다시 마음속에 가두려는 듯했다. 애도라는 말의 전혀 다른 쓰임에 우리는 우왕좌왕했다. 그저 침묵하라는 '애도 기간'에 행사를 해야 할지 고민했지만, 결국 진행하기로 했다. 개인적 상실을 고민하는 일은 사회적 참사를 우리 각자가 어떻게 애도할지 고민하는 일에 맞닿아 있는 문제라 여겼다.

그렇게 시작한 강좌와 워크숍에서는 장례를 가족 중심으로 치르고 점점 더 시장화되는 상황을 비판적으로 검토했다. 장례가 가족 중심적이고 시장화될수록 '죄책감'은 증폭되고 활용된다. 부모의 죽음을 잘 애도하려면 장례에 '돈'을 많이 써야 할 듯하고, 그래야 '자식 된 도리'를 다한 느낌을 받기 때문이다. 상실과 애도를 둘러싼 상황을 비판적으로 마주한 뒤, 심리 이론과 상담 사례를 통해 우리 마음이 상실에 대처하는 방식을 들여다봤다. 개인적인 상

실 경험을 다양한 예술 매체로 표현한 예술가의 작업 과정을 들으면서 각자에게 잘 맞는 애도 환경을 기획할 방법도 고민했다.

프로그램을 진행할수록 우리는 각자의 내밀한 상실 경험들을 맞대어봤다. 지금 돌봄을 하거나 떠나보낸 이들뿐 아니라, 앞으로 돌볼 사람에 관한 애증을 애도하려는 이도 있었다. 스스로 목숨을 끊은 친구를 떠나보낸 청년들도 적지 않았다. 자살 유가족이나 범죄 피해 유가족, 반려동물을 떠나보낸 적이 있거나 떠나보낼 준비를 하는 보호자, 죽음뿐 아니라 일상의 크고 작은 이별을 고민하는 이까지, 각자의 감정과 기억을 차근차근 마주했다. 모두 마음속에 묻어둔 상실을 들여다보면서도 사회적 참사와 애도를 끊임없이 함께 고민했다. 국가가 선포한 '애도 기간'이 아니라 우리가 만들어갈 애도의 공동체가 일시적이나마 열렸다.

"제가 돌아가신 할머니의 삶을 슬픈 삶으로 몰아갔다는 걸 깨달았어요."

함께 프로그램을 운영한 경훈이 들려준 말이다. 경훈은 사고로 치매가 시작된 외할머니를 3년 가까이 도맡아 돌봤다. 할머니가 떠난 지 두 해가 지났지만, 여전히 그때를 떠올리는 일이 어렵다. 다양한 애도 이야기를 들으면서 자기가 지난 시간을 힘들어한 이유를 깨달았다. 갑작스러운 임종 앞에서 우왕좌왕하는 자기를 발견한 탓이었다. 그때 그 당혹감이 여전히 소화되지 않아서 지난 시간이 부정적으로 느껴졌고, 할머니 인생도 슬프게 막을 내린 삶으로 여기게 됐다. 그런 마음은 할머니를 돌본 시간도 무가치하다는 판단으로 이어졌다.

경훈은 할머니가 임종할 때 우왕좌왕한 자기 자신을 애도했다. 동시에 할머니의 삶을 납작하게 재단하지 않기로 마음먹었다. 대신 할머니의 삶에서 일어난 사랑과 만남들, 할머니가 지키며 산 가치들을 먼저 떠올렸다.

비로소 애도하는 경훈의 모습을 지켜보면서 앞으로 내가 겪을 상실을 두려워하는 마음이 서서히 녹아내렸다. 애도하는 모든 이들을 지지하고 싶은 마음도 커졌다. 돌봄이 생의 필연이듯, 상실과 애도도 생의 필연이다. 이제라도 혼자 알아서 감정을 '처리'하려 하지 말고, 함께할 수 있는 애도 연습을 시작해야 한다.

2022. 11. 28.

혼자서 다 감당하지 않기

"퇴원하면 생각해봐야지."

아버지는 꼭 이 말로 전화 통화를 끝맺는다. 먹고 싶은 음식을 물어도, 코로나19가 잠잠해지면 가고 싶은 곳을 물어도 늘 이렇게 말한다. 당장의 욕구를 뒤로 미루면서 퇴원 날을 기약 없이 기다린다. 요양 병원 생활 5년째다. 입원할 때 50대 후반이던 아버지가 60대 초반을 넘어서고 있다.

5년 전, 아버지와 나는 막다른 길에 서 있었다. 아버지에게 치매가 시작된 뒤 화상까지 입으면서 더는 감당할 수 없겠다고 생각했다. 아무 도움도 받지 못하는 상황에서 요양 병원이 유일한 출구처럼 느껴졌다. 아버지는 들어가기 싫어했지만, 내가 입원을 결정했다. 그렇게 아버지는 코로나19 팬데믹 기간을 꼬박 요양 병원에서 살았다.

그사이 감염 위험 때문에 오랫동안 대면 면회가 금지됐고, 같은 병실에 감염병이 돌면 공용 전화를 못 쓰게 해서 통화도 못할 때가 많았다. 얼마 전 대면 면회를 할 수 있게 됐지만, 좁은 간호사실 한구석만 허용됐다. 바쁘게 일하는 사람들 틈에 끼여 앉아 이야기하려니 여간 멋쩍은 일이 아니었다.

그렇다고 아버지의 요양 병원 생활이 절망적이라는 말은 아니다. 새롭게 만난 병실 동료들하고 웃고 떠들고 싸우고 화해하면서 지냈다. 집에서 혼자 텔레비전만 보던 때보다는 훨씬 더 활력 넘치는 일상이었다. 몇 달 전에는 심장이 안 좋아져서 종합 병원에서 시술을 받고 다시 요양 병원으로 돌아갔다. 그때 병실 동료, 간호사, 간병인들은 살아서 돌아온 아버지를 진심으로 환영했다. 요양 병원 생활을 격리와 고립이 지배하는 시간이라 생각하던 나는 그때서야 아버지가 여러 사회적 관계 속에 있다는 사실을 깨달았다. 여기도 결국 사람 사는 곳이었다.

요즘 아버지는 얼굴이 활짝 피고 머리도 깔끔했다. 효율적으로 '관리'하려고 빡빡 깎은 머리가 아니었다. 양 옆은 바짝 깎고 윗부분은 조금 길게 남겨둔 스타일이었다. 새로 온 간호조무사가 미용사 출신이어서 말하는 대로 깎아준다고 했다. 아버지는 자기 마음을 쏙 알아채는 단골 미용실이라도 생긴 양 말했다. 아버지에게 머리 스타일은 자기만의 고유성을 지키는 방편이었다.

밝은 아버지를 보자 나는 안도감을 느끼면서 면죄부도 받은 듯했다. 입원은 당신 뜻을 거스른 결정이지만 더 좋은 결과로 이어진 만큼 다행이라는 마음이었다. 고민이 없지는 않다. 병원 밖에 이렇게 존재 자체를 환대하는 관계가 있으면 어떨까. 머리를 마음에 쏙 들게 깎는 단골 미용실이 있다면 어떨까. 미루고 미룬 이 고민을 실행해보려 한다. 올해에는 아버지가 원하는 대로 병원 밖에서 살아가는 삶을 계획해보자고 다짐한다. 날이 따뜻해지는 때가 퇴원을 실행하는 기점이 될 듯하다.

나도 생계와 돌봄을 병행하는 도전을 해야 한다. 아버지 주치의는 아버지를 혼자서 돌보기 힘들다는 현실을 지속적으로 상기시킨다. 돌봄 서비스 환경도 좋다고 할 수는 없다. 문재인 정부가 다져놓은 치매 국가 책임제, 커뮤니티 케어, 사회서비스원도 윤석열 정부 들어 예산이 삭감되거나 없어질 위기에 놓였다.

5년 전하고 확실히 달라진 점은 혼자서 모든 일을 다 감당하려 하지 않겠다는 내 마음가짐이다. 힘들고 불안할 때는 기꺼이 도움을 청할 작정이다. 구체적이고 적극적으로 당신에게 신호를 보낼 예정이다. 돌이켜 보면 돌봄 서비스의 공백만큼이나 서로 도움을 나눌 관계의 공백도 큰 문제로 다가온다. 도움을 청할 때 낙인찍힌다는 느낌을 받을까 봐 두렵기도 하다. 아버지도, 나도, 당신도 기꺼이 도움 받을 마음과 기꺼이 품을 내어줄 마음을 회복해야 할지도 모르겠다.

———————

2023. 01. 30.

6부

일

; 무엇을 이루거나 적절한 대가를 받기 위하여
어떤 장소에서 일정한 시간 동안 몸을 움직이거나
머리를 쓰는 활동, 또는 그 활동의 대상

돌봄 위기? 돌봄 재난!

"요즘 계속 공부를 해야 할지 고민이에요."

오랜만에 목소리를 들은 동료는 풀이 죽어 있었다. 매번 만나는 날짜를 잡고도 아이 돌봄 문제 때문에 약속이 취소되기 일쑤였다. 결국 긴 통화로 만남을 대신했다. 여성 동료들하고 한 약속이 유치원 휴원과 학교 휴교 때문에 취소될 때 코로나19 확산을 실감한다. 서로 고민을 나누는 만남이나 함께 실천할 프로젝트를 구상하는 일은 뒤로 밀린다.

동료는 노인 돌봄 문제를 다룬 박사 학위 논문을 준비하고 있었다. 코로나19가 시작되면서 엄마가 할 일이 늘어났다. 초등학교 개학이 늦춰지자 아이 돌봄을 두고 가족 간 갈등이 불붙었고, 불씨는 미래까지 번졌다. 엄마라는 이유로 돌봄 전담 우선순위인데다가, 안정된 직장이 아니라 공부와 연구 프로젝트를 이어가고 있으니 여지없이 영순위가 됐다. 사람들은 어느 유명한 소설가가 부엌에서 소설을 쓰는 '키친 테이블 노블'처럼 아이를 돌보며 공부하거나 논문을 쓸 수 있다고 여기지만, 해보지 않은 사람이 하는 상상일 뿐이다.

동료는 독박 돌봄을 하지 않겠다고 항변했지만, 주변에 다른 엄마들은 자의 반 타의 반 퇴직하거나 가족돌봄휴직에 들어갔다. 괜한 욕심을 부리는 걸까 하는 회의감이 깊어졌다. 내 아이 돌봄이 석 자인데 사회적 노인 돌봄을 걱정할 겨를이 없었다. 동료는 코로나19 시기 내내 아이 돌봄을 도맡은 엄마와 노인 돌봄을 고민하는 연구자 사이를 헤매며 지냈다. 동료와 나는 '돌봄 사회화'를 주제로 자주 토론했는데, 코로나19 때문에 대안을 고민하는 대화가 때 이르게 느껴졌다. 한탄 말고는 할 수 있는 일이 마땅치 않았다.

코로나19 때문에 동료 남편은 일자리가 위태로웠다. 고용 안정이 중요했다. 돈을 벌어야 먹고살고, 가정도 유지되고, 돌봄도 할 수 있으니까. 과연 그럴까? 돌봄은 늘 경제적 쓸모를 따지는 우선순위에서 나중을 차지한다. 가정에서나 사회에서나 우선순위에서 밀린 사람이 돌봄을 떠맡게 된다.

아픈 부모를 돌보는 문제 앞에서도 여성보다는 남성이, 비정규직보다는 정규직이, 일 안 하는 사람보다는 하는 사람이, 결혼 안 한 사람보다는 결혼한 사람이 우선 쓸모를 인정받았다. 비정규직 노동이나 임금 노동 아닌 노동을 하고, 비혼이고, 여성이라면 가족 돌봄행 급행열차를 타고 있는 처지나 다름없다. 이런 구조는 돌봄 노동을 중고령 여성과 이주민에게 떠넘기는 모습으로 반복된다. '선고용 후 돌봄' 논리는 돌봄 노동이 지닌 사회적 가치를 아무리 강조해도 현실에서 사회적으로 인정받지 못하는 주요 원인이다. 당장 먹고사는 문제가 위태로운 지금, 고용과 돌봄의 선후 관계는 더욱더 굳어져간다.

돌봄은 우리 삶에서 늘 우선이었다. 우리는 태어나서 돌봄부터 받는다. 돌봄을 받아야 사회적 활동도 하고 경제생활에 참여도 한다. 연약하고 노쇠하고 아픈 사람을 누군가 돌보지 않는다면 우리는 먹고사는 일이나 하고 싶은 활동을 할 수 없다.

며칠 전 가족돌봄휴가가 최장 25일까지 연장됐지만,

여전히 무급이다. 어쩔 수 없이 사정을 봐준다는 식이다. 이제까지 고용과 돌봄은 모성 보호나 가족 친화라는 말로 느슨하게 연결됐다. 출산 친화 기업 문화를 만들겠다고 나서는 기업들도 있었다.

돌봄은 모성, 출산, 가족을 넘어서서 모든 시민의 몫이다. 노동할 수 있게 봐주는 '편의'를 넘어 돌봄을 '필수'로 바라봐야 한다. 돌봄은 좋은 노동력을 빼앗는 걸림돌이 아니다. 노동과 활동을 제대로 할 수 있는 기반이다. 고용과 돌봄의 관계를 다시 설정할 수 있는 '돌봄 기반 고용 안전망'이 필요하다. 특수 고용 노동자, 소상공인, 프리랜서 등 다양한 고용 형태에 안전망을 갖추자는 '전국민 고용보험' 논의가 한창이다. 고용과 돌봄의 관계를 재설정하는 문제를 고용보험으로 해결할 수도 있을지도 모른다. 돌봄 위기라는 말보다 돌봄 재난이라는 말이 요즘은 더 익숙하다. 우리 삶의 기반이 흔들린다.

———

2020. 09. 14.

위험을 혼자 감수하는 습관

"왜 짐을 혼자 짊어져요! 같이 하는 거예요. 그렇게 하면 다쳐요."

며칠 전, 작업실을 이사하면서 짐을 옮기다가 이삿짐 센터 직원에게 혼났다. 어디 가서 제대로 힘 한 번 써본 적 없는 책상물림 취급을 받았다. 나는 성인이 된 뒤 대부분 공장이나 건설 현장에서 육체노동으로 벌어먹고 살았다. 몸을 쓰는 일은 늘 자신 있었다. 그렇지만 매번 사람들이 지적하는 문제가 있다. 위험한 일을 혼자 하는 습관이다. 그런 말을 들을 때면 내 몸에 새겨진 노동의 흔적을 느낀다. 직업반을 마친 열아홉 살 때부터 공장을 다니며 몸에 새겨진 한 가지, 위험해도 혼자 해낼 것.

2020년 12월 10일은 고 김용균 노동자 2주기다. 4년 전 구의역에서 사고가 난 김 군도, 올해 생활 폐기물 파쇄기에 사고를 당한 고 김재순 노동자도, 모두 혼자 일했다. 나는 순전히 운 덕분에 살아 있는지도 모르겠다. 언제 죽어도 이상하지 않을 만큼, 나도 늘 혼자 일했다. 어쩌다 운이 따라서 살아 있고, 지금은 글로 밥벌이를 하니까 일하다가 죽을 위험은 확 줄어들었다. 그래도 몸을 쓸 때 혼자서 위험을 '감수'하는 습관은 아직 고치지 못했다.

인문계 고등학교에서 공부 못하는 학생으로 '차출'돼 직업반에 갔다. 자의 반 타의 반이었지만, 그곳에서 비로소 배움과 일이 주는 즐거움을 느꼈다. 가스 용접으로 배관을 봉합했고, 다양한 배선을 해보며 전기 제어를 익혔다. 처음으로 같은 반 학생들끼리 동료 의식도 생겼다. 옆 친구가 배관을 잘못 꺾을라치면 바로 잡아주고 전기 배선을 헷갈려하면 알려주면서 함께 자격증을 땄다. 배움과 일이 주는 즐거움은 거기가 끝이었다.

공장에 들어가서는 위험해도 혼자 일하는 모습을 보고 배웠다. 지하철 환풍기를 보수하러 에이에스를 따라나선 때였다. 환풍기는 깊은 낭떠러지 앞에 놓여 있었다. 같이 간 선배 노동자는 주변을 돌더니 버려진 밧줄 하나를 주워 허리춤에 묶었다. 하나뿐인 안전장치였다. 처음 본 아찔한 현장이어서 조마조마했다. 혹시라도 선배 노동자가 떨어져 산산조각 날지도 모른다는 불안에 밧줄을 잡고 있겠다고 말했다. 선배 노동자는 그런 데 신경 쓸 시간에 다른 일이나 하라며 거절했다. 하나뿐인 목숨보다는 일 하나가 더 중요했다.

혼자 작업 하다가 어려워 선배 노동자를 부르면 쌍욕을 먹었다. 왜 혼자 처리하지 못하냐는 짜증이었다. 그런 순간들이 차곡차곡 쌓여서, 도움을 요청하기보다는 혼자 감수하고 마는 습관이 자리 잡았다. 혼자 드릴을 뚫다 작업복 바지가 말려들어가 살점이 뜯겨져도 혼자 챙겨 다니는 응급약을 혼자 발라 처치하기 일쑤였다. 그 정도 사고는 무용담으로 흘려보냈다.

늘 작은 공장이나 일용직으로 건설 현장을 다니다 보니 노동조합을 만난 적은 없다. 공장의 선배 노동자들도, 일용직 건설 노동자들도 단결이나 교섭으로 자기 목소리를 낸 경험은 없었다. 다만 풍문처럼 노동조합에서 시위만 하다가 모은 재산 다 까먹은 공장장 사연 정도만 들려왔다. 그런 말을 곧이곧대로 믿으며 노동조합을 폄하하지는 않았지만, 사실은 내 노동 조건을 문제 삼고 목소리를 낼 방법이 없다고 느꼈다. 이런 상황에서 당장의 안전을 신경 쓰게 만들려면 책임자를 강력하게 처벌해야 한다.

혼자 일하다가 죽지 않을 권리가 '운'에 좌우되는 세상은 너무 비겁하다. 내 몸에 깊게 새겨진 안전 불감증은 이 비겁한 세상이 강요한 증상이다. 한 해 2400명, 너무 많은 사람들에게 운이 따르지 않았다. 여전히 위험을 홀로 감수하며 살아가는 사람들이 있다. 어서 중대재해기업처벌법을 제정해야 한다.

2020. 12. 07.

노동 불가 시대

동생이 돈 빌려달라고 연락을 했다. 흔한 일이 아니었다. 초등학생 때 부모님이 이혼하면서 나는 아버지에게 남았고, 동생은 어머니를 따랐다. 가구가 분리된 뒤에 아예 교류가 없지는 않았지만, 경제적으로는 완전히 분리된 상태였다. 경제적으로 분리된 결정적 계기는 쓰러진 아버지를 내가 홀로 돌보기 시작한 일이었다. 나하고 동생 사이에는 경제적으로 더는 부담이 되면 안 된다는 무언의 규칙이 있었다. 거의 10년 넘게 유지되던 규칙이 깨졌다. 코로나19 때문이다.

코로나가 휩쓴 지난 1년간 동생은 단조로운 일상을 보냈다. 아침에 일어나 아르바이트 구인 애플리케이션을

근로능력평가용 진단서

(앞쪽)

진단 대상자	성 명		성 별		생년월일	
	주 소				전화번호	

진단질환명

평가대상 질환유형

- ㉠ 근골격계(상·하지) **환**
- ㉡ 근골격계(척추) **환**
- ㉢ 신경기능계 **환**
- ㉣ 정신신경계
- ㉤ 감각기능계(청각) **환**
- ㉥ 감각기능계(평형)
- ㉦ 감각기능계(시각)
- ㉧ 심혈관계
- ㉨ 호흡기계
- ㉩ 소화기계(간질환)
- ㉪ 소화기계(위장질환)
- ㉫ 비뇨생식계
- ㉬ 내분비계
- ㉭ 혈액 및 종양질환계
- ㉮ 피부질환계(피부질환)
- ㉯ 피부질환계(외모·결손질환)

※ 근로수행에 영향을 미칠만한 가장 중한 질환유형을 2개까지 기재할 수 있으나 같은 질환유형은 1개만 선택하여 기재하고, 질환유형별로 이에 해당하는 상세 질병명은 1개만 선택하여 기재합니다.
※ 위의 질환유형에 해당되지 않는 경우에는 가장 근접한 질환유형을 선택하여 기재합니다.
※ **환** 표시는 한의사도 진단서 발급이 가능한 질환유형을 의미합니다.

구분	질환유형 (1)	질환유형 (2)
질환유형 (㉠~㉯ 중 선택)		
상세 질병명		
KCD 분류번호		
발병일 / 진단일 (해당기관의 진료기간)	(. . . / . . . ~ . . . .)	(. . . / . . . ~ . . . .)

근로능력평가내용

주요 증상 및 검사소견		
치료·투약내 용	(구체적인 치료내용, 약물명, 용량, 복용기간 등을 작성합니다)	(구체적인 치료내용, 약물명, 용량, 복용기간 등을 작성합니다)
기타 특이사항		
향후 치료계획 (해당되는 곳에 √표를 합니다)	① 관찰 필요 [ ] ② 통원치료나 약물치료 필요 [ ] ③ 적극적인 입원이나 수술 필요 [ ] ④ 그 밖의 사항 [내용 기재:]	① 관찰 필요 [ ] ② 통원치료나 약물치료 필요 [ ] ③ 적극적인 입원이나 수술 필요 [ ] ④ 그 밖의 사항 [내용 기재:]

발급기관

의료기관명		전문과목	
주소		전화번호	
면허번호 (전문의 자격번호)		성 명	(서명 또는 인)

「국민기초생활 보장법 시행규칙」 제35조제1항제2호에 따라 위와 같이 근로능력평가용 진단서를 발급합니다.

년 월 일

의료기관 [직인]

210mm×297mm[백상지 80g/㎡]

켠다. 지역, 근무 요일, 근무 시간을 설정한 뒤 검색을 시작한다. 기왕이면 집에서 가까우면 좋겠고, 평일 내내 일하기를 선호하며, 밤늦게 하는 일은 피하고 싶다. 새로 고침을 하면서 바로바로 올라오는 구인 게시물을 본다. 2~3명 뽑는 자리에 일순간 100~200명이 달려든다. 구인 게시물을 보고 있는 사람 수도 친절하게 알려준다. 일일 알바도 몇 백 명이 보고 있으니 너는 지원해도 안 된다고 미리 고지 받는 기분이다. 매일 몇 십 개씩 지원서를 내면 한 달에 여남은 번 정도 단기 알바를 할 수 있다. 한 해 동안 그렇게 생계비나 주거비를 메꿨다.

동생은 고졸 신분으로 몇 년간 단기 아르바이트, 공공 일자리, 몇 달짜리 계약직을 오가며 20대 대부분을 버텼다. 그사이 여러 번 직업 훈련을 받고 자격증도 땄지만, 크게 달라질 일은 없었다. 요즘은 유통관리사 자격증을 준비한다. 그 자격증을 딴다고 해도 일을 구할 수 있는지, 미래에 그 일이 일로 존재할 수 있는지는 확실하지 않다. 아무것도 안할 수는 없으니 뭐든 해보는 데 가깝다. 내가 팔 걷고 나선다고 일자리가 뿅 생기지도 않으니, 나는 말 없이 지갑을 열어 생활비를 보탠다.

얼마 뒤 아버지 일 때문에 연락을 받았다. 주민센터였

다. '근로능력평가' 재심사 기간이라는 알림이었다. 아버지는 1년 주기로 근로 능력을 평가받는 기초생활 수급권자다. 아버지가 입원한 요양 병원에서 〈근로능력평가용 진단서〉를 떼어 주민센터에 내야 한다. 아버지에게 치매가 있다는 진단서는 아버지가 근로 능력이 없다는 근거가 된다. 국가는 심사를 거쳐 생계비와 의료비 보장을 연장할지 말지를 결정한다.

동생 근황을 접하고 아버지 심사 과정을 연달아 겪고 나니 참 기이했다. 근로 능력이 있어도 노동을 하지 못하는 시대에 근로 능력을 평가한다니! 이제 단기 알바로 생계를 유지하는 프리터(freeter)로 생존하기 어려운 시기다. 거기에 오늘날 전통적 노동은 무너져 내리고 있다. 내가 하던 노동이 에이아이로 대체된다거나 안정된 일자리가 아니라 분절된 일거리를 찾아다니며 살아야 한다는 말은 이미 현실이면서 더 빨라질 미래다. 4차 산업혁명이라는 거대한 말은 자본이 원하는 미래를 투영할 수 있을지언정, 노동자의 미래는 책임지지 않는다.

이제껏 한국 사회는 복지를 노동하는 자에게 먼저 주어지는 권리 정도로 여겼다. 이를테면 일하는 사람에게 주는 근로장려금은 문제가 아니지만 일하지 않은 사람에게 기초적인 생활을 보장하는 데 들어가는 비용은 낭비라 여긴다. 복지도 생산성을 고려해 제공해야 한다는 '근로 연계 복지'를 보여주는 단면이다.

노동하고 싶어도 노동할 수 없는 시대다. 질병이나 장애 정도로 근로 능력을 따져 최저 생활을 보장하는 방식은 변하는 세상하고 동떨어진 구시대적 패착 같다. '사지 멀쩡한 놈한테 왜 국가가 지원해야 하냐'는 관념이 실체를 드러낸 제도가 '근로능력평가'다. 지금 우리의 일상에는 권리와 노동과 분배에 관한 새로운 상상이 필요하다.

2021. 01. 04.

아픈 몸의 노동권

함께 일하는 동료가 요즘 골머리를 앓는다. 아버지가 산에 들어가겠다고 '선언'한 때문이다. 무작정 떠나려는 아버지를 앞에 두고 설득해보지만, 도통 타협점이 보이지 않는다. 동료 아버지가 가장 먼저 챙겨 보는 텔레비전 프로그램 〈나는 자연인이다〉 탓에 벌어진 사태다.

동료도 아버지가 그러는 이유를 이해는 한다. 몇 년 전 아버지에게 파킨슨병이 찾아왔다. 용접공으로 일하던 아버지는 행동과 인지가 느려졌고, 인력 사무소에서 받아주지 않거나 현장까지 가서 쫓겨나는 일이 잦아졌다. 그나마 알던 사람에게 부탁해 일당을 낮추더라도 현장에 남으려 했지만, 효과는 마땅찮다. 이런저런 시도 끝에 한 달에

서너 번 정도 일을 나간다. 나머지는 '쓸모없는' 자기 자신을 견뎌야 하는 시간일 따름이다. 자연 속에서 자급자족할 수 있다면 굳이 이 세상에게 거절당하지 않아도 된다. 아버지가 원하는 삶은 그저 자기가 할 수 있는 노동을 하고 노동한 결실을 손에 쥐는 삶이다. 문제는 텔레비전 프로그램이 아니라, 이런 삶이 불가능한 세상이다.

나는 무릎을 쳤다. 동료 아버지와 내 아버지는 공통점이 참 많았다. 치매가 시작된 내 아버지는 지난날처럼 미장공으로 일하고 싶어한다. 중장년에 접어든 두 남성은 노년이 되기 전에 각각 파킨슨병과 치매라는 노인성 질환을 앓기 시작했고, 생산성을 보장하지 못하는 몸으로 일하려 방황했다. 어떤 이는 두 아버지를 보면서 산업화 시대를 겪은 남성들이 지닌 특징을 찾을지도 모른다. 자기를 돌보는 일은 안중에도 없고 일밖에 모르고 일만이 유일한 가치라고 여기는 '증상' 말이다.

적당한 '일'은 '자기 돌봄'이 되기도 한다. 아픈 사람이 적정한 활동을 할 수 있던 때의 몸 상태를 고려해 일을 하면 회복에도 도움이 된다고 한다. 치료보다는 현 상태를 유지하면서 돌봐야 하는 만성 질환을 앓는 사람도 늘어난다. 무작정 휴식을 강요하는 방식은 스트레스가 될 수

도 있고, 많은 이들이 방치되는 사태로 귀결될지도 모른다. 일과 돌봄을 칼로 무 자르듯 가르지 말고 일과 돌봄이 잘 섞일 수 있는 방법을 고민해야 한다.

《아파도 미안하지 않습니다》를 쓰고 '다른몸들'에서 활동하는 조한진희는 몇 주 전 함께한 대담에서 '아픈 몸 노동권'을 이야기할 자리를 준비하고 있다고 말했다. 우리는 건강 격차, 산업 재해, 긴 노동 시간까지 아플 수밖에 없는 조건이 충분히 마련된 사회에 살고 있다. 이런 사회에서는 건강할 수 있는 권리만큼이나 아파도 잘살 수 있는 권리를 고민해야 한다. 노동권을 중심으로 아픈 몸을 이야기하는 자리는 건강과 아픔이라는 이분법을 벗어날 계기가 될 수 있다. 일할 수 있는 몸과 일할 수 없는 몸을 나눈 핵심 영역이 노동이기 때문이다.

'아픈 몸 노동권' 논의는 아픈 몸뿐 아니라 여성, 장애인, 노인의 노동하고 연동될 수 있다. 그런 노동이 건강한 몸, 남성, 비장애인, 젊음에 견줘 평가 절하 되는 문제를 이야기하는 장이 될지도 모른다. 공정과 능력주의에 관련해서도 아픈 몸 노동권은 할 말이 많다. 건강한 몸들 사이의 경쟁을 전제한 쟁점이라고 볼 수 있기 때문이다.

이제 자본이 요구하는 노동에 몸을 맞춰야 하는 시대

가 끝날지 모른다. 4차 산업혁명 시대에 생산성과 효율성을 확보한 노동이라는 관념은 우리들에게 취약한 조건으로 되돌아온다. 아무도 기계보다 생산적일 수도, 효율적일 수도 없다. 동료 아버지와 내 아버지가 아픔과 노동 사이에서 방황하는 시간은 아버지 세대만만의 전유물이 아닐지 모른다. 우리도 예외일 수 없다. 어떻게 하면 우리 모두 잘 아프고 잘 돌보고 잘 일할 수 있을지 함께 상상하자.

2021. 07. 19.

치매 노동

'초로기'는 '노년기에 접어드는 초기'라는 뜻이다. 왜 중장년기가 아니라 초로기일까? 처음 이 단어를 접하고 떠오른 질문이었다. 마치 현재(중장년기)가 미래(노년기)에 저당 잡힌 느낌이었다. 나는 아버지에게 '초로기 치매'가 찾아온 뒤에야 이 단어를 알았다.

아버지는 인지 기능이 점점 저하됐지만, 비교적 젊은 신체는 체력이 남아돌았다. 아버지는 계속 일하고 싶어했다. 나도 아버지가 일을 하면서 사회에 좀더 연결되기를 바랐다. 인지가 저하되더라도 하루치 일을 해낸 보람을 느끼고, 임금을 받고, 사람들하고 상호 작용할 수 있다면 더 바랄 일이 없지 싶었다.

아버지는 소일거리라도 찾아서 뭐든 스스로 해보려 했지만, 인지가 저하되니 자주 다쳤다. 자활 기업이나 공공 근로를 찾아봤지만, 아버지가 할 수 있는 일은 없었다. 어디 갈 곳도 마땅치 않았다. 대부분 노인 치매 당사자에 초점을 맞추다 보니 젊은 아버지가 참여할 만한 프로그램은 없었다. 젊은 아버지가 노쇠해지기를 기다리는 수밖에 없어 보였다.

젊어서 시작된 치매는 예외적일까? 뭔가 더 해보려 해도 아무것도 할 수 없는 현실은 아버지만 겪는 문제일까? 2019년 전체 치매 상병자 중 65세 미만은 10.7퍼센트를 차지한다. 꾸준히 증가하는 추세다. 더 많을지도 모른다. 인지 저하가 시작되더라도 젊다는 이유 때문에 치매로 받아들여지지 못하는 사례도 더러 있기 때문이다. 초로기 치매 당사자는 한창 일할 나이에 직장을 잃기도 하고 빈곤에 빠질 위험도 크다. 치매가 일찍 시작된 탓에 돌봄을 받는 시기도 길어진다. 그런데도 노인 치매에 견줘 환자 수가 적고 신체가 건강하니까 관심도 적다. 그래도 주목할 만한 시도를 하는 지자체가 있다.

시흥시치매안심센터는 '초로기 치매환자 지역공동체 일자리'를 시행 중이다. 치매로 실직하고, 의료비 부담이 커지고, 재정적 어려움에 시달리는 상황을 해결하려는 시도다. 1월 말에 참여자 모집을 마쳤고, 현재 초로기 치매 당사자 세 명이 참여한다. 주요 업무는 치매 관련 영화 상영과 인식 개선 교육 지원이다. 무엇보다도 일일 프로그램을 넘어 '일자리 사업'으로 접근한 점에 주목해야 한다. 근무 시간은 주 30시간 이내로, 최저 시급인 9160원에 1일 간식비 5000원을 포함해 한 달에 150만 원 안팎을 손에 쥘 수 있는 셈이다.

인천광역시치매센터는 '가치함께 사진관'을 열었다. 올 11월까지 매월 마지막 주 화요일에만 열리는 귀한 사진관이다. 사진사로 일한 초로기 치매 당사자가 사진을 찍는다. 여기에 초로기 치매 당사자 다섯 명이 사진 찍고 출력하고 액자 짜는 전 과정에 손을 보탠다. 인천광역시치매센터는 작년부터 치매 친화 영화관을 표방한 '가치함께 시네마' 상영회에 초로기 치매 당사자를 일일 직원으로 고용했다. 주요 업무는 티켓 배부, 열 체크, 환기, 소독이었다. 센터 부설로 운영하는 뇌건강학교 북카페에서 음료를 만들고 청소하는 업무를 보기도 하고, 마당에 함께 나무나 꽃을 심기도 한다.

이런 시도가 안정된 일자리를 만드는 데까지 나아

갈 수 있을까? 정부가 발표한 '제4차 치매관리종합계획 (2021~2025)'에는 초로기 치매 당사자를 위한 '공공근로 프로그램 개발'이 담겨 있다. 두 지자체가 한 시도는 초로기 치매 당사자를 고려한 노동의 기준을 제시한다. 치매 영화 상영과 인식 개선 교육을 지원하는 일을 하면 당사자는 노동의 결과에서 소외되지 않는다. 공동체에서 자기 자리를 만드는 일이기 때문이다. 더불어 대부분의 치매 당사자는 직업이 있었다. 몸에 새겨진 기억을 일자리 창출에 활용할 수 있다. 이런 기준을 바탕으로 여러 '노동'을 상상하자. 치매 돌봄뿐 아니라 치매 노동을 보장할 때다.

———————

2022. 04. 11.

관계를 만드는 집수리

"그 집은 떼어낼 곰팡이도 많고, 짐도 엄청 많았어. 그런 집 다시는 하기 싫어!"

3인 1조로 한 어르신네 집수리를 하고 퇴근하는 길에 누군가 말한다. 그렇게 시작된 대화는 어르신의 주거 환경이 얼마나 나쁜지 얘기하다가, 그 좋지 않은 환경을 수리하는 일이 얼마나 힘든지 강조하다가, 도배와 장판을 싹 다 새로 하니 어르신이 얼마나 좋아한지를 되짚는다. 오가는 말 속에서 '보람'이 배어 나왔다. 집수리 서비스를 제공하는 '사회적 협동조합 노느매기' 조합원들이었다.

어떤 일에 기여하고 결과에서 느끼는 만족을 음미하는 순간이 삶을 살아갈 의욕을 생기게 할 때가 있다. 그래서

내가 기여할 수 있고 만족할 수 있는 '일'이 소중하게 느껴진다. 모든 사람에게 이런 보람이 '노느매기' 될 수 없을까?

'노느매기'는 하나의 몫을 여럿이 나눈다는 뜻이다. 협동조합은 그 뜻을 취약 계층 일자리 만들기로 실현한다. 일자리 참여자는 서울시 영등포구에 자리한 노숙인 일시 보호 시설에 머물던 중년 남성들이다. 일하고 싶지만 '써주는 곳'이 마땅치 않은 이들이었다. 함께 모여서 재활용 매장을 운영하거나 폐식용유로 비누를 만들어 팔았다.

다들 '자립'을 하고 싶어 시설에서 나왔지만, 너 나 할 것 없이 나쁜 주거 환경에 갇혀 지내고 있었다. 조합원들끼리 집수리를 배워보자는 이야기가 나왔다. 수도꼭지나 전등 교체, 간단한 도배는 스스로 집을 고치자는 '필요'에 따른 배움이었다.

어느새 배움은 자기 집을 고치는 수준을 넘어 노인, 시각 장애인, 1인 가구에 집수리 서비스를 제공하는 '일'이 됐다. 공공 기관하고 협약을 맺어 집수리 사업을 시작했다. 다들 숙련 기간도 없이 덜컥 현장에 투입됐다. 업자들은 한 번에 끝낼 집수리를 노느매기는 두 번, 세 번 만에 끝냈다. 완벽하지 못한 '서비스'였는데, 오히려 그래서 좋아하는 사람들이 많았다.

두 번, 세 번 찾아올 때마다 일하러 온 이들 옆에서 지난 생애를 들려주는 어르신도 있고, 건전지 하나 갈 때마다 일부러 전화하는 어르신도 있다. 아이하고 둘이 사는 젊은 여성은 집에 잔고장이 날 때마다 불안하다며 연락했다. 집을 수리하는 '서비스'뿐 아니라, 집에 드나들면서 각자의 외로움과 불안을 덜어주는 '관계'도 만들어졌다.

노느매기 조합원은 다른 자활 일자리나 공공 근로에 견줘 일이 힘들다. 조합원들은 시설에서 생활할 때 자활 일자리, 공공 근로, 실업 급여를 돌아가면서 신청하는 식으로 생계를 유지했다. 그렇게 하면 생계는 유지할 수 있지만 내가 하는 노동이 세상에 기여한다고 느끼기는 쉽지 않다. 한 조합원은 지난날 자기는 밖에 나가서 할 수 있는 일이 없는 사람이라고 여겼다. 지금 하는 일은 다르다. 내가 한 만큼 보상이 따르고 기술 숙련도도 점점 올라간다. 무엇보다 내 일이 다른 사람을 돌보고 세상에 기여한다는 감각은 자존감을 높인다. 대부분의 조합원이 노숙을 시작하면서 헤어진 가족들하고 다시 연락하며 지낸다.

노느매기가 하는 집수리 노동은 제공자와 수혜자의 삶을 모두 더 낫게 바꾼다. 실적을 중시하면 불가능한 일이다. 사실 공공 기관의 집수리 사업 단가는 시장 단가에 한참 못 미쳐서 빨리빨리 하지 않으면 돈벌이가 위태롭다. 노느매기의 노동은 공공 근로처럼 시혜적이지 않으며, 큰 이익을 가져다주지 않는 사람들의 필요를 충족하는 탓에 시장 친화적이지도 않다. 직무 또한 자본이 이윤을 얻으려 규정한 형태가 아니라 조합원들의 삶에 기반해 만들어졌다. 대안 정책의 가능성도 엿보인다. 국가가 최종 고용자가 돼 실업을 완전히 없애자는 일자리 보장제가 어떤 일자리를 만들고 사회적으로 의미 있는 활동에 소득을 보장하자는 참여 소득이 어떤 참여를 거쳐 실현될지 미리 보는 듯하다. 국가가 나서서 소득을 보장해야 하는 의미 있는 노동은 이미 우리 곁에 와 있다.

———

2022. 06. 06.

에필로그

돌봄의 눈

병원 로비를 걷고 있었다. 사람들이 진희와 남편 옆으로 빠르게 지나갔다. 남편은 한 발 한 발 신중하게 내디뎠다. 뇌출혈로 쓰러진 뒤 반마비가 와 재활 치료를 받는 중이었다. 진희는 남편이 걷는 속도에 발을 맞췄다. 스스로 재활하려는 의지가 높아 곧 속도가 붙을 수 있으리라 여겼다. 그런 마음에 남편에게 넘어지지 않게 조심하라면서도 더 힘을 줘서 발을 내디디라고 재촉하게 된다.

저 멀리 시선이 느껴졌다. 진료 대기석에 한 할머니가 앉아 있었다. 두 사람을 빤히 쳐다봤다. 장애 있는 몸을 구경하거나 동정하는 시선일까. 남편이 장애가 생기고 나서 공공장소에 나가면 그런 시선이 자주 달라붙었다. 할머니 앞에 다다른 무렵까지 떨어지지 않았다. 그런 시선을 마주할 때마다 진희는 그냥 지나치는 법이 없었다.

"왜 쳐다보세요?"

할머니는 친근한 표정을 지어 보였다. 어떤 적의도 느끼지 못한 듯했다.

"딱 내가 그랬거든."

한 마디 말에 배어 있는 동질감이 서서히 진희에게 스며들었다. 구경이나 동정은 아니었다. 아, 돌보는 사람 눈에는 돌보는 사람이 보이는구나. 진희는 이 사실이 생경

하게 느껴졌다.

진희는 자기가 점점 사라지는 듯한 느낌에 힘겨운 나날이었다. 그렇지만 사소한 감상에 빠져 투정 부릴 수 없는 노릇이었다. 가장 힘든 사람은 아픈 남편일 터였다. 남편 곁에서 계속 함께하려면 마음이 단단해져야 했다. 그렇게 잘 견뎌왔다. 재활 치료도 성과를 보이기 시작했다. 곧 복직도 할 수 있지 않을까 싶었다. 문제는 진희였다. 스스로 사라지는 줄도 모르게 서서히 사라지고 있는 듯했다.

'딱 내가 그랬거든'은 사라져가던 자기를 부여잡는 듯한 말이었다. 잠깐 동안 일어난 마주침 속에서 돌봄의 대화가 꼬리에 꼬리를 물고 이어졌다. 지금도 할아버지를 돌보고 있는지, 돌봄 기간이 얼마나 되는지, 할머니는 여기 왜 와 있는지, 진희는 물었다.

"돌보다가 골병 나서 여기 와 있지."

그 말에 서로 웃음이 터졌다. 돌보다가 아파본 사람만이 아는, 농담 같은 현실이었다. 그날은 그렇게 헤어졌지만, 진희는 때때로 할머니들의 시선이 따라붙는 느낌을 받게 됐다.

한번은 지하철 교통약자석에 앉은 할머니가 남편하고 함께 있는 진희를 보고는 속절없이 눈물을 쏟았다. 젊은 여성이 아픈 남편을 돌보는 모습이 가엾게 보였을까.

"왜 그러세요?"

"나도 남편이 아팠거든. 이제 내가 너무 힘들어서 요양원에 들어갔지."

요양원에 들어간 남편이 딱했을까, 힘겨운 돌봄의 기억이 떠올랐을까. 눈물이야 내력이 어찌되든 그런 마주침에서 진희는 묘한 연대감을 느꼈다.

돌봄의 눈, 노년 여성들에게는 그런 눈이 있는 듯했다. 돌봄의 눈은 진희가 남편하고 함께 걸을 때 거리에서 마주하는 시선하고는 분명 달랐다. 이제는 좀 익숙해졌지만, 처음 구경거리가 되거나 동정 섞인 눈빛을 받은 때는 나가는 일 자체가 두렵기도 했다. 그런 시선은 장애 있는 남편의 몸을 지나치게 드러내고, 그 곁에서 돌보는 진희의 몸은 투명하게 만드는 듯했다. 돌봄의 눈은 누군가를 더 보이게 하지도, 덜 보이게 하지도 않았다. 장애가 있는 몸, 아픈 몸과 돌보는 몸을 고르게 바라보는 눈이었다. 진희는 곧 자기도 그런 눈을 갖게 되리라고 생각했다.

진희는 한 발 한 발 신중하게 내딛는 남편에 발을 맞춘다. 남들에 견줘 '느린' 걸음이지만, 남편에게는 제 속도일 뿐이었다. 어제만 해도 이 '느린' 세계에 속해 있다는 사실이 불안하기만 했다. 앞으로 어떻게 먹고 살아야 할까, 돌봄은 언제까지 이어질까, 한 치 앞도 보이지 않는 어둠 속을 헤매는 듯했다. 어서 재활이 잘 끝나 남들 속도를 따라잡아야 한다는 생각이 그나마 등불이 돼줬다.

세상에서 돌봄을 보는 눈들을 마주하고, 자기도 그런 눈을 갖게 되리라 생각하니, 외려 돌봄으로 세상을 다시 보게 되는 듯했다. 이 속도에서 다시 삶을 시작해도 되겠다는 마음이 생겼다. 돌봄의 눈, 소수가 독점하기는 아까운 눈이었다. 진희는 더 많은 이들이 이 눈으로 세상을 바라보고 느낄 수 있으면 좋겠다고 생각했다. 노년 여성뿐아니라 모든 사람이 이 눈을 얻으려면 무엇이 필요할까. 아픈 사람과 돌보는 사람이 아니라 이 세상이 어둠 속을 헤매고 있을지 모른다고, 그러니 더 많은 이들을 '느린' 세계에 초대해야 한다고, 진희는 남편의 속도에 발을 맞추며 마음을 다잡았다.

이미지 해설

1. 봉천동 3동(현 청림동) 주택가, 2023

17쪽, 37쪽

내 유년기의 정서가 자라난 곳. 사방이 아파트에 둘러싸여 있다. 어느 골목을 찍어도 프레임 안에 늘 어느 아파트가 담긴다.

19쪽

지난번 찾은 때는 사람이 사는 듯했는데, 이제 창고로 쓰는 모양이었다. 어린 나에게 짜장면 한 그릇을 배달한 중국집이 있던 곳.

35쪽

국민수퍼는 어떤 경계에 있었다. 앞은 주택가였고, 뒤는 달동네였다. 주택가에 살던 나는 친척 누나를 따라 달동네에 놀러갔다가 공동변소를 보고 겁을 먹었다. 아래가 훤히 트인 허름한 나무 문짝이 달린 재래식 화장실을 그때 처음 봤다. 지금 그곳에는 아파트가 들어서 있다.

41쪽

아빠는 몸을 수그리며 키 작은 쪽문을 걸어 나왔다. 혼자 중얼거리듯 욕을 내뱉으며 등을 돌렸다. 눈물을 닦는 듯했다. 어딘가 전화를 걸더니, 곧 경찰차가 왔다. 작은큰아빠가 죽었다. 봉천동을 산책하다가 이곳에 잠시 멈춰서 작은큰 아빠를 애도했다.

43쪽

주택들 너머로 현대아파트와 교회가 보인다. 1994년 봉준호 감독이 찍은 단편 〈백색인〉에는 아직 짓고 있는 교회가 앙상한 모습으로 등장한다. 1992년 준공된 현대아파트는 영화 속에서 새것의 모습으로 달동네와 주택가 위에 군림해 있었다.

2. 영화 〈건설의 벽〉 스틸 컷, 2018

49쪽, 51쪽, 59쪽, 61쪽, 65쪽, 67쪽, 75쪽, 77쪽

건설 일용직을 나갈 때마다 대나무 숲을 닮은 파이프 숲을 마주하면 나는 속으로 '임금님 귀는 당나귀 귀'를 외쳤다. 일회용품 취급을 받고, 부당한 문제를 말할 수 없고, 하루 일당 때문에 분한 마음을 삭여야 하는 처지이니 말이다. 그 파이프 숲의 이미지를 찍고 싶었다.

영화 제목은 이청준이 쓴 소설 〈소문의 벽〉에서 따왔다. '임금님 귀는 당나귀 귀' 설화인 경문왕 이야기를 모티브로 삼은 중편이다. 소설에는 손전등으로 비추는 '전짓불' 공포 때문에 진실을 말하지 못하는 이가 등장한다. 한국전쟁 때 모두 잠든 방문을 연 누군가가 전짓불을 비추면서 좌파인지 우파인지 물은 기억 때문이다. 전짓불 뒤에 서 있는 사람을 볼 수 없는 탓에 묻는 이가 좌파인지 우파인지 알지 못한 채로 답해야 했다. 살아남는 일이 순전히 운인 셈이었다. 산업 재해가 만연한 나라의 건설 현장에서 살아남는 일도 순전히 운인 현실하고 닮아 있다.

3. 영상 작업 〈투명한 막 — 어안 렌즈, 일출, 부재〉 스틸 컷, 2019

129쪽, 131쪽

대림2동 중앙시장, 새벽, 가득하던 중국 동포들이 사라지고 빽빽하던 네온사인도 잠잠하다. 아침 해가 점점 떠오르고 있다. 시장 입구부터 끝까지 천천히 걷는다. 상을 '왜곡'시키는 어안 렌즈로 텅 빈 대림동을 다시 보고 싶다.

어안 렌즈로 찍은 대림동을 보면서 묻는다. 무엇이 이곳을 가득 채우며 왜곡하고 있었을까. 새벽에 접어든 대림동은 그곳을 가득 채우던, 위험하고 더럽고 시끄럽다는 말들을 씻어낸 채 있는 그대로 자리하고 있었다. 새벽이 반성의 시간이 될 수 있다면, 우리는 이 텅 빈 때와 곳에서 무엇을 반성할 수 있을까.

4. 돌봄과 애도 연습 워크숍 〈당신을 위한 애도인형〉, 2022

153쪽, 155쪽

봉제 인형에 상처를 낸다. 내가 애도하고 싶은 대상과 그 대상에 관한 감정을 종이에 적어서 인형 안에 넣는다. 생명 있는 신체에 상처가 날 때 바느질로 꿰매듯 상처 낸 봉제 인형을 다시 꿰맨다. 바느질은 손으로 하는 애도가 된다.

5. 〈근로능력평가용 진단서〉, 2022

173쪽

6. 영화 〈1포 10kg 100개의 생애〉 스틸 컷, 2020

175쪽, 179쪽, 181쪽, 189쪽, 191쪽

아버지의 손놀림은 날렵했다. 치매가 인지를 저하시키고 기억을 사라지게 하더라도 몇 십 년간 몸에 쌓인 기억까지 지우지 못했다. 인천에 있는 미림극장에서 영화를 상영한 때였다. 영화 속 아버지가 숨겨오던 날렵한 손놀림을 드러내자 객석에서 짧은 감탄과 환호가 들려왔다. 노년 남성들이었다. 여전히 뭔가 할 수 있는데 자꾸만 아무것도 할 수 없다고 규정하는 세상에 자기를 이으려는 공감의 끈이었을까.